27.95

Déclin de la morale ?
Déclin des valeurs ?

Raymond Boudon

Déclin de la morale ?
Déclin des valeurs ?

PRESSES UNIVERSITAIRES DE FRANCE

RETIRÉ DE LA COLLECTION UNIVERSELLE
Bibliothèque et Archives nationales du Québec

Du même auteur

À quoi sert la notion de structure ? La notion de structure dans les sciences humaines, Paris, Gallimard, 1968.
L'inégalité des chances, Paris, Armand Colin, 1973. En poche, Hachette, « Pluriel », 2001.
La logique du social, Paris, Hachette, 1979. En poche, Hachette, « Pluriel », 2001.
Effets pervers et ordre social, Paris, PUF, 1977. En poche, PUF, « Quadrige »,1993.
Dictionnaire critique de la sociologie (avec F. Bourricaud), Paris, PUF, 1982. En poche, PUF, « Quadrige », 2000.
La place du désordre. Critique des théories du changement social, Paris, PUF, 1984. En poche, PUF, « Quadrige », 1991.
L'idéologie, ou l'origine des idées reçues, Paris, Fayard, 1986. En poche, Seuil, « Points », 1992.
L'art de se persuader, Paris, Fayard, 1990. En poche, Seuil, « Points », 1992.
Le juste et le vrai : études sur l'objectivité des valeurs et de la connaissance, Paris, Fayard, 1995.
Le sens des valeurs, Paris, PUF, « Quadrige », 1998.
The Origin of Values, Transaction, New Brunswick (États-Unis), Londres, 2001.
Études sur les sociologues classiques, I et II, Paris, PUF, « Quadrige », 1998-2000.
Raison, bonnes raisons, Paris, PUF, 2002.
Y a-t-il encore une sociologie ? (avec Robert Leroux), Paris, O. Jacot, 2003.

Direction d'ouvrages collectifs

Quantitative Sociology, coéd. avec Blalock, Aganbegian, Borodkin, Capecchi, New York, Academic Press, 1975.
Cognition et sciences sociales, coéd. avec A. Bouvier et F. Chazel, Paris, PUF, 1997.
Central Currents in Social Theory, (8 vol.), coéd. avec M. Cherkaoui, Londres, Sage, 2000.
École et Société, coéd. avec N. Bulle et M. Cherkaoui, Paris, PUF, 2001.
L'explication des normes sociales, coéd. avec P. Demeulenaere et R. Viale, Paris, PUF, 2001.

ISBN 2 13 053106 7

Dépôt légal — 1re édition : 2002, septembre
2e édition : 2003, février

© Presses Universitaires de France, 2002
6, avenue Reille, 75014 Paris

À Denis Szabo

Sommaire

> *L'individualisme, la libre pensée ne datent ni de nos jours, ni de 1789, ni de la réforme, ni de la scolastique, ni de la chute du polythéisme gréco-romain ou des théocraties orientales. C'est un phénomène qui ne commence nulle part, mais qui se développe, sans s'arrêter tout au long de l'histoire.*
>
> Durkheim

DÉCLIN DES VALEURS ?

On entend couramment parler aujourd'hui, dans les sociétés occidentales, du déclin de la morale, du déclin des valeurs, non seulement au Café du Commerce, mais dans la meilleure littérature sociologique. C'est un sujet sur lequel l'inquiétude, voire le pessimisme, sont sensibles, y compris dans certains textes de caractère scientifique[1].

B. WILSON

Ainsi, dans un bel article, le sociologue anglais Bryan Wilson (1985) développe une théorie sédui-

1. Une version courte de ce texte, amputée notamment de la partie interprétative, a été présentée comme conférence d'investiture à la Société royale du Canada, Ottawa, 15 novembre 2001. Elle a été publiée sous le même titre que le présent ouvrage dans les *Actes* de la société pour l'année 2001 et in *Commentaire*, 97, printemps 2002, 89-98. Je remercie Annie Devinant pour son aide inappréciable dans la mise au point de ces différents textes.

sante. Nous avons quitté, explique-t-il, un état des sociétés où le système d'éducation et la famille transmettaient à l'enfant puis à l'adolescent des valeurs qui faisaient plus ou moins l'objet d'un consensus. Ces valeurs étaient ensuite appliquées dans les différents contextes professionnels et, plus généralement, dans les divers contextes de vie que traversaient les individus. C'était l'époque où les enfants des rues se moquaient du compositeur Scriabine parce qu'il se promenait sans chapeau : ils avaient intériorisé l'idée d'un ordre social stratifié ; la mise vestimentaire de Scriabine ne correspondait pas à son statut ; se promener sans chapeau était réservé à ceux qui appartenaient au bas de l'échelle sociale ; les enfants le savaient, et, en se moquant de lui, témoignaient du fait qu'il ne respectait pas les contraintes de son rôle social. En passant de la société industrielle à la société post-industrielle, de la modernité à la postmodernité, nous avons abandonné un monde, nous dit B. Wilson, où, ces contraintes de rôles étant connues et acceptées, elles permettaient une adaptation facile de l'individu aux différents milieux dans lesquels il s'insérait.

Aujourd'hui, ni la famille ni l'école ne sont plus guère en mesure de transmettre des valeurs, nous dit B. Wilson. Les individus arrivent non équipés moralement dans les milieux sociaux ou professionnels qu'ils traversent. Comment le système fonctionne-t-il malgré tout sans trop de heurts ? Parce que ces milieux produisent des exigences fonctionnelles de caractère surtout technique, facilement lisibles, et auxquelles l'individu s'adapte au coup par coup. Les contraintes auxquelles il doit faire face produisent chez lui des apprentissages sur le tas, variables d'un contexte à l'autre.

Mais il y a plus. Hier, on répondait aux exigences fonctionnelles qu'on rencontrait dans tel ou tel contexte en se contentant d'appliquer les principes qu'on avait acquis au cours de la socialisation familiale et scolaire. Il y avait donc interpénétration entre l'espace privé et l'espace public. Lorsque la socialisation dans l'espace privé ne put plus répondre aux demandes fonctionnelles de l'espace public, les deux espaces se séparèrent de plus en plus, au point qu'on peut dire, avance B. Wilson, que cette séparation est une caractéristique récente, annonciatrice de la postmodernité. Autrefois, le comportement qui était jugé « bon » dans le privé l'était aussi dans le public et réciproquement. Aujourd'hui, les sphères du public et du privé apparaissent comme franchement distinctes l'une de l'autre.

Il n'y a pas lieu de contester la finesse de cette analyse, qui repose sur des observations irrécusables. Il est vrai que l'école ne considère plus la transmission des valeurs morales comme l'une de ses fonctions essentielles, et que les parents sentent bien qu'ils mettent en péril leurs relations avec leurs enfants dès lors qu'ils cherchent à leur inculquer les valeurs qu'on leur a enseignées à eux-mêmes. Il est vrai que les valeurs de l'espace public, de l'espace des professions notamment, décalquaient hier les valeurs de l'espace privé :

l'honnêteté et l'esprit de méthode étaient acquis dans la famille et à l'école, et mis en application sur le lieu de travail. Il est vrai aussi que, en raison de l'accélération du changement social, l'individu doit découvrir bien des valeurs sur le tas, et ne peut se contenter de mobiliser celles qu'on lui a enseignées dans l'enfance. Il est vrai aussi que la distinction privé/public est récente, que du moins elle s'est accentuée ; que l'on peut faire pratiquement tout ce qu'on veut dans le privé et que l'on doit souscrire à des exigences de caractère surtout fonctionnel dans les milieux publics auxquels on est amené à appartenir. Il est vrai que cela induit l'impression qu'il n'y a pas de valeurs communes au public et au privé ; qu'il y a autant de systèmes de valeurs que de systèmes publics (le monde de l'entreprise, du politique, de la justice, de l'école, etc., constituant des sortes de *cités* munies chacune de leur système de règles) ; et que chaque individu peut, dans le privé, choisir *ad libitum* son système de valeurs.

Ces remarques convergent avec de nombreuses observations : le criminologue et politologue américain J. Q. Wilson (1993) a, par exemple, relevé l'intérêt symptomatologique du mouvement dit de « clarification des valeurs » qui s'est développé aux États-Unis. Ce mouvement entend interdire l'enseignement des valeurs à l'école, sous prétexte que le choix des valeurs est une affaire strictement privée et que, en conséquence, tout enseignement portant sur les valeurs ou sur la morale viole la dignité de la personne.

Il est vrai enfin que l'on tend vers une situation où la morale paraît se réduire à un principe unique : le respect de l'autre.

Mais d'où vient cette évolution ? Est-elle due – c'est vers cette réponse que semble pencher B. Wilson – à ces facteurs auxquels on accole aujourd'hui les notions de *mondialisation* et de *globalisation* ; à ces facteurs qui privent les individus de leurs attaches communautaires et leur substituent des attaches sociales multiples et fonctionnelles, n'engageant pas l'être de l'individu ? Or, ajoute B. Wilson, les valeurs ultimes sont toujours enracinées dans des communautés. Comme le sens de la communauté disparaît dans les sociétés postmodernes mondialisées, il en résulte que l'individu ne saurait reconnaître l'existence de valeurs ultimes.

À quoi l'on peut ajouter que le retour du *communautarisme* témoigne peut-être d'une réaction contre cet état de choses, mais conforte plutôt qu'il ne corrige le relativisme ambiant, puisqu'il induit l'impression qu'il peut y avoir à la limite autant de systèmes de valeurs que de communautés, et que le seul fondement des valeurs est de constituer un ciment communautaire (Boudon, 1998, 2001 *a*).

U. BECK

Le sociologue allemand Ulrich Beck – mon second exemple – oppose la sûreté de la société industrielle *(Sicherheit der Industriegesellschaft)* aux turbulences de la société de risque mondiale *(die*

Turbulenzen der Weltrisikogesellschaft). Comme B. Wilson, U. Beck (1993) a l'impression que l'on a changé brutalement de type de société, et que ce changement est surtout un effet de la mondialisation. Laissons de côté l'idée selon laquelle l'on passerait d'une société industrielle réglée et prévisible à une société imprévisible, dominée par la dimension du risque. On pourrait en effet soutenir à l'inverse qu'on n'a jamais connu de sociétés aussi sûres que les sociétés contemporaines. Beck hypostasie en fait, dans son concept de « société de risque », certaines observations incontestables : que l'on change en moyenne plus facilement et plus fréquemment d'emploi ou de conjoint aujourd'hui qu'hier. La biographie des gens en paraît par suite moins réglée. Mais il ne s'ensuit pas que les risques auxquels est exposé l'individu se soient aggravés. La biographie de tout individu est désormais l'objet d'un bricolage, nous dit Beck : elle n'a plus le côté linéaire des biographies d'autrefois. Mais ce bricolage n'est pas l'expression de l'autonomie, ajoute-t-il. Car le sujet rencontre toutes sortes d'obstacles dans sa construction de soi. Il prend mille décisions ; mais elles sont effectuées sous la pression du milieu. Il est soumis à une « contrainte structurelle » *(struktureller Zwang)*. Ses décisions n'ont rien à voir avec les représentations de la *théorie du choix rationnel*. Elles ne sont pas des calculs, mais des réactions. L'individu n'est pas un centre de décision souverain, mais un sujet ballotté. Son autonomie n'est qu'illusoire. Les sociétés postindustrielles sont bien caractérisées par un développement de l'individualisme, mais cette individualisation patente dissimule une standardisation *(Standardisierung)* latente. Car, contrairement aux apparences, individualisation et standardisation, loin d'être incompatibles, vont de pair *(« nicht als Gegensatz sondern als Gleichzeitigkeit und Verknüpfung »)*. Beck semble vouloir parodier ici Sartre : les hommes sont condamnés à l'individualisation. Cette individualisation, qui n'a rien à voir avec l'autonomisation, représente la *solution* et la *dissolution* des formes de vie des sociétés industrielles *(« Auflösung und Ablösung der industriegesellschaftlicher Lebensformen »)*. À noter le coup de chapeau adressé ici au second Wittgenstein (le maître à penser des postmodernistes), perceptible à l'emploi par U. Beck de la notion de *Lebensformen*.

Ainsi, ce qui apparaît comme *autonomie* serait en réalité *hétéronomie* ; ce qui paraît blanc serait en réalité noir ; plus l'individu se sent libre plus cela indique qu'il est placé sous l'emprise des structures. Beck s'inscrit ici brillamment dans la longue lignée des « maîtres du soupçon ». Le caractère ininterrompu de cette lignée s'explique notamment parce qu'il existe toujours un public heureux d'apprendre à travers des voix prétendument *autorisées* que ses malheurs sont dus à ce que l'organisation sociale est au service de forces puissantes et maléfiques, mais clandestines, que seul le regard perçant du penseur d'avant-garde peut saisir.

Mais le point principal à retenir pour ce qui nous concerne ici est que, selon Beck, la mondialisation entraîne le nihilisme : le sujet social n'est plus, contrairement à ce qu'affirment Durkheim ou Weber, le dépositaire et la source des valeurs ; il est réduit à être le simple jouet des structures.

A. GIDDENS

Je m'arrêterai à un seul des points développés par Anthony Giddens (1999), mon troisième exemple. Sa théorie de la modernité est plus nuancée et moins noire que celle de Beck. Mais il croit, lui aussi, à une profonde discontinuité entre hier et aujourd'hui, entre la société industrielle et la société postindustrielle, et à l'existence d'effets structurels responsables de cette discontinuité. Il veut que les turbulences des sociétés postindustrielles favorisent le développement des intégrismes religieux. Or, s'il est vrai qu'on assiste bien au développement de certains intégrismes, comme l'intégrisme islamique, les causes de ce développement paraissent être de caractère plutôt politique que structurel. On ne peut comprendre ces développements, sinon à partir des circonstances et des contingences particulières qui affectent les sociétés de tradition islamique. On évoque aussi parfois d'autres « intégrismes », mais le mot est alors pris dans un sens très large. Ainsi, ce qu'on qualifie parfois d' « intégrisme catholique » désigne un phénomène très circonscrit : l'existence de la contestation par des catholiques minoritaires de l'*aggiornamento* défini par le concile Vatican II. Soucieux de souligner les discontinuités, Giddens passe à coté de continuités et d'évolutions lentes caractéristiques des phénomènes religieux.

On peut faire les mêmes remarques à propos de la désillusion grandissante à l'égard de la démocratie dont il fait aussi état. La politique a perdu de sa centralité, avance-t-il. Il est vrai que l'ouverture du mur de Berlin a accéléré le développement des échanges, et que cela a renforcé l'importance de l'économique aux dépens du politique. En résulte-t-il que les individus s'intéressent moins à la politique ? Qu'ils soient moins soucieux des valeurs démocratiques ? Ce n'est d'ailleurs pas la première fois que l'économique paraît déborder le politique. Lüthy (1970) et Baechler (1971) ont souligné que l'essor économique du XVIe siècle a été facilité parce que l'éclatement politique d'une bonne partie de l'Europe rendait impossible le contrôle de l'économique par le politique.

Le pessimisme de B. Wilson et d'A. Giddens est plus souriant que celui de Beck. Mais les trois auteurs ont en commun d'entériner l'idée d'une discontinuité radicale entre modernité et postmodernité, entre sociétés industrielles et sociétés post-industrielles ; de prêter à la globalisation le rôle d'un *primum movens* et d'insister sur l'idée que cette discontinuité va de pair avec un dérèglement des boussoles morales et, plus généralement, axiologiques : de ces boussoles qui nous permettent d'attribuer une valeur positive ou négative à toutes sortes de choses.

Il serait possible de relever dans la littérature quelques grands types d'analyse des sociétés contemporaines, moins subtils que ceux que je viens d'évoquer, mais largement répandus. Certains veulent que, dans les sociétés postindustrielles, les valeurs traditionnelles se décomposent sans être remplacées. Cette décomposition serait due, selon eux, à la diffusion d'idées fausses : sous l'action de mécanismes obscurs, le bon sens aurait disparu. D'autres lisent dans cette décomposition la *fin de l'histoire* et s'en réjouissent plutôt qu'ils ne s'en désolent. Ils voient dans le relativisme culturel qu'ils croient observer la manifestation de la seule vérité solide que la postmodernité laisserait – à juste titre, selon eux – subsister : que les notions de vérité, de justesse, etc., sont définitivement périmées et que les valeurs sont désormais une affaire privée. D'autres veulent qu'il y ait rupture entre l'ère industrielle et l'ère postindustrielle, mais y voient le passage, non pas d'un âge d'or à un âge de fer, ni d'un monde mauvais à un monde meilleur, mais d'un monde exécrable à un autre monde tout aussi exécrable. D'autres prédisent un retour de Dieu, comme la réponse la plus probable au désarroi qu'ils pensent percevoir.

Cette sociologie du Café du Commerce mérite d'être confrontée aux observations d'une autre sociologie, celle qui cherche à se distancier des sentiments et des réactions de premier degré que suscite la vie sociale. Malheureusement, la première, par son côté sommaire et volontiers apocalyptique, attire facilement l'attention des médias, qui s'en font de bon cœur les porte-parole. Il en résulte une discordance, maintes fois relevée, entre l'opinion des médias et l'opinion publique, plus précisément entre l'opinion des médias sur les opinions, attitudes et croyances du public et ces opinions, attitudes et croyances telles qu'elles sont *réellement*. On en verra un exemple ici.

La meilleure manière de produire cette distanciation est d'interroger les données qu'on peut tirer des enquêtes. Sont particulièrement notables du point de vue qui m'occupe ici : l'enquête sur les valeurs européennes mise en place notamment par J. Stoetzel, E. Noelle-Neumann, H. Riffault et l'ensemble des enquêtes sur les valeurs mondiales orchestré par R. Inglehart. Ces enquêtes précieuses n'ont pas suffisamment fécondé la *théorie* sociologique, peut-être parce que la sociologie est caractérisée par une curieuse division du travail faisant que la recherche empirique et la recherche théorique se présentent parfois comme des spécialités qui se développent indépendamment : une situation unique, à mon sens, dans les disciplines scientifiques.

Je m'appuierai ici sur les enquêtes relatives aux valeurs mondiales dont Inglehart, Basanez, Moreno (1998) a mis les données à la disposition du public dans un précieux *Sourcebook*. Elles portent sur plus de 40 sociétés représentant 70 % de la population mondiale : y ont été recueillies les réponses à un questionnaire soumis à mille sujets dans chaque pays. Le questionnaire comportait un nombre impressionnant de questions. On peut utiliser ce *Sourcebook* de maintes façons. J'ai choisi pour ma part de me borner aux pays occidentaux, d'en retenir un petit nombre (France, Allemagne de l'Ouest, Grande-Bretagne, Italie, Suède, États-Unis, Canada), et de m'intéresser aux variations des réponses en fonction de deux variables : l'âge et le niveau d'éducation. Je ne me suis pas occupé des autres pays, non évidemment par absence d'intérêt, mais parce qu'il est impossible de traiter de tous les sujets à la fois.

Pourquoi l'âge ? Parce qu'en comparant les réponses des groupes d'âge on peut tirer de données statiques une image dynamique, à interpréter bien sûr avec précaution : on ne passe pas sans prendre de risque de la *statique comparative* à la *dynamique.* Pourquoi le niveau d'instruction ? Parce que les différences dues à l'âge sont en partie dues à des différences dans le niveau d'instruction. C'est pourquoi jeunesse et niveau d'instruction produisent le plus souvent des effets de même direction. Lorsque les effets sont de direction opposée, on peut tenter des conjectures explicatives ; mais elles ne sauraient le plus souvent être vérifiées qu'à partir de données complémentaires.

Après avoir présenté les résultats de cette analyse, j'essaierai de montrer qu'on peut les expliquer en empruntant et en prolongeant des pistes ouvertes par les sociologues classiques.

Il va sans dire que je n'ai pas cherché à appliquer ce cadre d'analyse à toutes les questions posées par les enquêteurs. Bien qu'il isole un modeste sous-ensemble de données du déluge de chiffres présenté dans le *Sourcebook,* le lecteur constatera aisément au vu des notes de bas de page que ce sous-ensemble prend la forme d'une forêt assez touffue de vecteurs. J'ai tenté de la pénétrer par l'analyse qui suit en utilisant la méthode des modèles générateurs. Elle consiste ici à tenter d'imputer à des répondants idéal-typiques un système de raisons permettant d'expliquer à un niveau qualitatif (ordinal) les caractéristiques des distributions observées.

S'agissant de l'Allemagne, j'ai retenu les données concernant l'Allemagne de l'Ouest. Cela me permet de souligner que les enquêtes à l'origine du *Sourcebook* ont été conçues à une époque où les deux Allemagnes étaient encore séparées, les données elles-mêmes ayant été recueillies entre 1990 et 1993. Incidemment, j'ai regretté que les données ne distinguent pas les grandes composantes du Canada. Dans bien des cas, les fréquences apparaissent comme intermédiaires entre celles des États-Unis et celles de l'Europe, quoiqu'elles soient en général plus proches de celles des États-Unis. Une décomposition eût peut-être facilité l'explication de ce fait. Enfin, bien que les données aient une dizaine d'années d'âge, j'ai l'impression que bien des analyses qu'on peut en tirer restent valables aujourd'hui.

On peut bien sûr proposer d'autres types d'analyses que celle que je présente ici des données issues des enquêtes comparatives internationales. On peut chercher à identifier les caractéristiques sous-jacentes à la totalité des données, en recourant à l'analyse factorielle, quoique, à mon sens, on ne puisse guère espérer recueillir par cette voie que des résultats retrouvant des distinctions et des facteurs connus, comme le poids des grandes traditions religieuses (Inglehart, Basanez, Moreno, 1998). On peut analyser les données correspondant à une nation particulière (Riffault, 1994 ; Bréchon, 2000 *b*). On peut choisir un groupe de nations plus ou moins homogène, pour y rechercher surtout la persistance des différences nationales (Mendras, 1999). On peut se demander si attitudes, opinions et croyances des individus tendent à composer des systèmes, ou si leur évolution est soumise à des lois (Stoetzel, 1983). Ici, j'ai choisi un groupe plus ou moins homogène de nations, dans le but de chercher à identifier l'origine microsociologique des tendances macrosociologiques qu'on y décèle, en appliquant la théorie de la rationalité que j'ai défendue notamment dans Boudon (1998, 2001 *a*).

Mon objectif ayant été d'analyser les tendances longues plutôt que la conjoncture ou les variations sur le court et le moyen terme, et surtout de poursuivre un objectif théorique : tenter de montrer que, derrière les opinions, on peut discerner des systèmes de raisons modulées en fonction du contexte, j'ai cru pouvoir m'en tenir aux données produites par Inglehart, sans tenir compte des enquêtes plus récentes. Eu égard à ces objectifs, les conclusions de la présente analyse auraient sans doute été *grosso modo* les mêmes si l'ensemble des pays du monde occidental et non sept avaient été retenus, comme on peut s'en convaincre en recourant au *Sourcebook,* et si des enquêtes plus récentes avaient été analysées.

CE QUE NOUS DISENT LES DONNÉES

Les données nous disent une première chose. Keniston (1968) avait démontré que les jeunes Américains apparemment révolutionnaires des années 1960, les étudiants du *free speech movement* souscrivaient en fait aux mêmes valeurs que leurs parents et souhaitaient surtout les approfondir : approfondir la démocratie, approfondir l'autonomie individuelle. Pourtant, le sens commun et bien des analystes contemporains des événements des années 1960 y virent une cassure : ils n'étaient pas d'accord sur l'interprétation à en donner, mais ils étaient convaincus de l'existence d'une discontinuité. Le sens commun et bien des théoriciens, comme ceux que j'ai rapidement évoqués tout à l'heure, sont, de même, d'accord pour voir une discontinuité entre hier et aujourd'hui, là où, selon les données, il faut voir plutôt une continuité. Le postindustriel ne tourne pas le dos à l'industriel. Il le continue, au sens où il reprend, mais aussi où il approfondit les valeurs de l'industriel.

Ce qui frappe en second lieu c'est le caractère graduel et nationalement ancré des changements qu'on observe dans les valeurs. Certaines évolutions vont dans le même sens dans l'ensemble des pays, mais en respectant le rythme, les caractéristiques, et finalement l'histoire de chacun. Le rythme d'hier impose celui d'aujourd'hui. L'irréligiosité est grande en Suède ; elle augmente lentement. Elle est beaucoup moins marquée en Italie ; elle y augmente aussi, mais à un rythme modéré.

En troisième lieu, il résulte de toute l'analyse qui suit que le nihilisme ou – alternativement – la privatisation des valeurs qu'on présente comme caractéristique de la postmodernité sont de simples vues de l'esprit. L'autorité est davantage contestée chez les jeunes que chez les moins jeunes. Mais le moindre respect de l'autorité ne témoigne pas d'un affaissement des valeurs ; il indique que l'autorité n'est acceptée que si elle se justifie. En termes wébériens, l'autorité *rationnelle* est désormais plus facilement acceptée que l'autorité *charismatique* ou l'autorité *traditionnelle*. Ce glissement traduit l'affirmation d'une valeur : celle de la dignité de l'individu.

Bref, le sens des valeurs subsiste. On observe un consensus sur maints jugements de valeur. On relève aussi des glissements, et ces glissements se font sur bien des sujets dans le même sens : celui d'un souci d'approfondissement du respect de la personne, de la recherche d'une plus faible emprise sur l'individu de l'autorité sous ses diverses formes : politique, religieuse, idéologique, etc. On croit de moins en moins aux vérités toutes faites, mais on croit à l'existence de vérités ; on croit de moins en moins qu'il soit facile de distinguer le bien du mal, mais on accepte la distinction entre le bien et le mal. On est plus tolérant par rapport aux écarts moraux, non parce qu'on a perdu le sens des valeurs, mais parce que la tolérance est conçue comme une valeur centrale. Et elle est perçue comme une valeur centrale, non en vertu du principe selon lequel chacun pourrait choisir librement ses valeurs, mais parce que la vérité en la matière n'est pas considérée comme donnée une fois pour toutes. On observe donc dans le groupe d'âge le plus jeune, ainsi que dans le groupe de plus haut niveau d'instruction, un développement de l'esprit critique plutôt qu'une substitution du scepticisme à la foi. Les mêmes orientations s'observent dans le domaine du religieux : de plus en plus, la religion est tenue comme n'étant qu'une source parmi d'autres de l'autorité morale ; le dogme est appréhendé de manière plus critique par les jeunes et par les plus instruits.

En un mot, on discerne dans les données d'Inglehart une évolution des sociétés occidentales dans le sens d'un approfondissement de l'individualisme et de la rationalisation des valeurs. Mais j'anticipe ici sur ce qui suit. Il importe maintenant d'étayer ces propositions.

CONTINUITÉ ET CHANGEMENT DES VALEURS

S'agissant par exemple de la *famille* : à la question de savoir si elle est importante, une forte majorité de jeunes répondent positivement, soit 92 % aux États-Unis, 89 % au Canada, 83 % en Italie, 85 % en Suède, 77 % en France, 54 % en Allemagne de l'ouest, 87 % en Grande-Bretagne. On observe ici, il est vrai, une faible érosion : leurs aînés répondent dans près de tous les cas *un peu* plus fréquemment positivement (*nettement* plus fréquemment dans le cas de l'Allemagne). Mais on n'observe ici aucune discontinuité et l'on est au contraire frappé par le maintien de la valeur de la famille. Cet exemple de l'importance de la famille me permet de préciser que je ne m'intéresse pas ici, sauf exception, à expliquer les différences entre les sept pays, comme ici la chute très forte de l'intérêt pour la famille chez les jeunes Allemands, qui exigeraient de recourir à des données complémentaires[1].

De même qu'on relève une persistance de l'importance de la famille, on constate – en se référant au *Sourcebook* – que le mariage reste une valeur forte, que l'on valorise positivement la fidélité conjugale, ou que, dans tous les pays retenus, une quasi-unanimité des répondants considère que les enfants ont besoin des parents et que les enfants ont des devoirs à l'égard de leurs parents.

L'affirmation de certaines valeurs est plus forte chez les plus jeunes et certaines évolutions apparaissent comme convergentes d'un pays à l'autre. Ainsi, le respect de la dignité d'autrui n'est pas une valeur nouvelle. Mais son application est exigée

1. Dans les notes, j'utilise le mode suivant de présentation des données : soit la question « la famille est-elle importante pour vous ? ». Chacun des pays retenus (France [F], Allemagne de l'Ouest [A], Grande-Bretagne [GB], Suède [S], Italie [I], États-Unis [US], Canada [C]) est décrit par deux vecteurs, le premier donnant les pourcentages de réponses d'un certain type, ici les réponses *positives*, de la part respectivement du groupe le plus jeune (16-29 ans) et le plus âgé (50 ans et plus) ; le second donnant les pourcentages de réponses du même type correspondant aux groupes respectivement bas et élevé du point de vue du niveau d'instruction. *La famille importante* (% oui) : F : (77 85) (79 81) ; A : (54 77) (75 67) ; GB : (87 86) (88 87) ; S : (85 86) (87 91) ; I : (83 90) (89 73) ; US : (92 92) (91 92) ; C : (89 94) (92 89).

avec plus d'insistance chez les plus jeunes, en même temps que son champ d'application s'étend.

Il est donc sûr qu'on observe des évolutions. Mais elles sont plus continues et moins brutales qu'on ne le dit. Elles ne traduisent pas une disparition du sens des valeurs, mais plutôt des changements traduisant des pondérations différentes des valeurs.

L'examen rapide de quelques autres thèmes peut nous en convaincre.

LE TRAVAIL

Les valeurs relatives au *travail* existent toujours, elles aussi. On recherche dans le travail l'épanouissement personnel beaucoup plus que les avantages matériels qu'il procure. Dans le milieu de travail, on ne rejette pas l'autorité, mais on accepte plus difficilement de lui obéir aveuglement. Cela ne traduit aucune disparition des valeurs, mais au contraire une exigence de respect à l'endroit de l'individu, même dans les situations où le supérieur hiérarchique peut se prévaloir d'une autorité morale et technique.

L'importance relative du salaire parmi les différents aspects du travail est grande ; elle croît chez les plus jeunes et tend à décroître avec l'éducation, sauf au Canada[1]. On retrouve ici un résultat clas-

1. *Aspects importants du travail* : un bon salaire (% oui) : F : (61 47) (54 51) ; A : (79 68) (74 70) ; GB : (79 58) (70 66) ; S : (80 70) (76 68) ; I : (72 71) (73 56) ; US : (91 82) (86 86) ; C : (81 69) (75 77).

sique : on est moins intéressé par les aspects matériels du travail et davantage par le fait qu'il permette de se réaliser, quand le niveau d'instruction s'élève. Mais, malgré cela, seule une faible proportion des répondants déclare travailler pour gagner de l'argent[1]. La demande d'initiative est partout plus forte et est dans le cas de six pays sur sept plus affirmée chez les plus jeunes que chez les anciens. Elle est sensiblement plus forte lorsque le niveau d'instruction est élevé. On souhaite des responsabilités. On veut un travail intéressant. La demande à cet égard est forte, et elle est plus grande dans le groupe d'âge plus jeune, et aussi chez les plus instruits. Sauf en France, on attache beaucoup de prix à réaliser quelque chose. On accepte moins dans le groupe d'âge jeune de suivre aveuglement les instructions, les Américains étant ici les plus dociles. Mais on n'exige pas d'être toujours convaincu par les ordres donnés[2]. Enfin, parmi les répondants,

1. *Aspects importants du travail :* être payé (% oui) : F : (10 08) (09 07) ; A : (11 07) (10 04)) ; GB : (11 05) (08 03) ; S : (09 06) (08 05) ; I : (10 08) (08 11) ; US : (14 11) (13 11) ; C : (11 08) (10 09) ; l'initiative : F : (42 35) (30 54) ; A : (66 48) (51 84) ; GB : (52 40) (38 72) ; S : (73 66) (65 78) ; I : (54 36) (43 64) ; US : (47 51) (45 65) ; C : (54 50) (42 61) ; réaliser quelque chose : F : (42 40) (39 43) ; A : (65 59) (60 72) ; GB : (69 63) (60 85) ; S : (80 84) (84 88) ; I : (61 43) (50 65) ; US : (71 72) (66 80) ; C : (74 71) (65 79) ; exercer une responsabilité : F : (56 54) (48 61) ; A : (52 52) (50 68) ; GB : (39 40) (37 59) ; S : (73 73) (71 73) ; I : (35 30) (32 31) ; US : (56 54) (54 62) ; C : (58 54) (52 58) ; travail intéressant : F : (67 50) (52 67) ; A : (79 62) (68 81) ; GB : (78 67) (68 83) ; S : (84 77) (72 85) ; I : (61 51) (56 58) ; US : (74 66) (61 78) ; C : (75 69) (62 80).

2. *Au travail,* il faut toujours suivre les instructions (% oui) : F : (32 42) (38 27) ; A : (30 48) (45 32) ; GB : (44 46) (44 39) ; S : (38 51) (49 46) ; I : (25 36) (31 19) ; US : (59 68) (59 60) ; C : (47 59) (57 45) ; il faut être convaincu d'abord (% oui) : F : (49 41) (45 56) ; A : (29 22) (20 29) ; GB : (45 40) (45 39) ; S : (45 38) (39 39) ; I : (44 47) (46 57) ; US : (25 21) (22 22) ; C : (29 27) (25 35).

seule une modeste proportion consent à réduire le sens de la vie au travail, plus précisément à en faire l'aspect le plus important de la vie.

Pour résumer, on exige davantage dans le groupe d'âge jeune que le travail soit une occasion de se réaliser et non une contrainte, et que le travailleur soit considéré comme une personne capable d'initiative et de responsabilité. Mais on ne veut pas que le travail constitue le sens de la vie : que la vie dans l'espace public soit plus importante que la vie dans l'espace privé. On perçoit, sous-jacente à ces résultats, une affirmation des valeurs individualistes.

LA POLITIQUE

On ne décèle pas non plus dans les données d'Inglehart une chute des croyances dans les vertus de la *démocratie,* mais plutôt une volonté de l'approfondir ; non une déception débouchant sur une volonté de retrait, mais une déception critique, augmentant plutôt le désir de participer à son approfondissement.

L'intérêt pour la politique n'est pas plus élevé dans le groupe des plus jeunes, mais il croît avec l'éducation. Comme les plus jeunes ont en moyenne un niveau d'instruction plus élevé, cela semble indiquer que les jeunes de niveau d'instruction plus faible tendent à manifester un manque d'intérêt pour la politique. Sur ce chapitre, le niveau d'instruction a une influence considérable (sans qu'on puisse affirmer à la lumière des données d'Inglehart qu'il n'y a pas aussi un fléchissement chez les jeunes de niveau d'instruction élevé). Il faudrait disposer de données plus fines pour déterminer si tel est le cas et, si oui, se demander si cela résulte surtout, comme le veut Giddens, du fait que la mondialisation, en affirmant la préséance de l'économique, induit un fléchissement de l'intérêt pour le politique. En l'absence d'informations sur ces questions pouvant être directement raccordées aux données que j'utilise ici, on se contentera de relever que l'intérêt pour la politique croît partout de façon notable avec le niveau d'instruction[1].

S'il est vrai que le mécontentement à l'égard du système politique existant est plus grand chez les jeunes, leur volonté d'action politique ne fléchit pas[2]. Cette observation relativise en tout état de cause l'hypothèse de Giddens. La volonté d'action politique – qu'il faut donc distinguer de l'intérêt pour la politique telle qu'elle est conduite par les politiques – n'est pas du tout plus faible chez les plus jeunes, au contraire : ils sont davantage prêts que leurs aînés à pratiquer le boycott, à se lancer dans des grèves illégales, à manifester, à recourir à des occupations d'immeubles, etc., et cette volonté

1. *Importance de la politique* (% oui) : F : (30 36) (28 47) ; A : (38 44) (36 65) ; GB : (39 43) (37 58) ; S : (41 52) (40 59) ; I : (35 27) (29 48) ; US : (48 56) (49 57) ; C : (39 59) (42 55). *Intérêt pour la politique* (% oui) : F : (31 42) (32 57) ; A : (62 68) (64 90) ; GB : (43 50) (42 72) ; S : (39 54) (37 66) ; I : (30, 25) (26 53) ; US : (54 62) (53 72) ; C : (49 67) (50 68).

2. Ce point se trouve confirmé pour des données plus récentes dans le cas de la France, par exemple, *in* Galland, Roudet, 2001.

d'action directe est d'autant plus grande que le niveau d'instruction est plus élevé. Ici, les deux variables, âge et éducation, produisent des effets qui vont dans le même sens. On en tire bien l'impression que l'intérêt pour la politique ne s'atténue pas, et qu'il a au contraire tendance à augmenter, mais qu'on fait moins confiance au personnel politique en place pour réaliser les objectifs politiques qu'on estime désirables. On entend contribuer à la réalisation de ces objectifs par l'action directe, et ce, d'autant plus qu'on a un niveau d'instruction plus élevé. Bref, ces données traduisent peut-être surtout un accroissement de la volonté de participation par l'action directe au fonctionnement de la démocratie. À long terme, cette demande se soldera, on peut le présumer, par une affirmation de la démocratie directe au niveau local, par un recours plus fréquent à la consultation populaire au niveau national. Le rôle croissant des sondages dans la vie démocratique s'explique parce qu'ils correspondent à une demande : ils permettent à l'opinion publique de s'exprimer dans les périodes qui séparent les élections. Ils sont les successeurs des *straw votes*.

Quant aux moyens de cette participation directe, je viens de les évoquer : occupations d'immeuble, manifestations, etc.[1]. Seule la pétition est

1. *Action politique* : *participer à* : un boycott (% oui éventuellement) : F : (52 30) (33 51) ; A : (48 27) (31 43) ; GB : (44 23) (32 47) ; S : (69 55) (60 61) ; I : (58 33) (44 50) ; US : (57 39) (39 48) ; C : (56 34) (31 48) ; une manifestation légale : F : (45 22) (29 36) ; A : (49 32) (40 39) ; GB : (48 21) (31 41) ; S : (67 51) (58 48) ; I : (43 33) (38 37) ; US : (62 36) (34 48) ; C : (55 30) (30 47) ; des grèves illégales : F : (35 12) (18 36) ; A : (25 05) (09 26) ; GB : (33 09) (17 28) ; S : (62 17) (32 42) ; I : (30 06) (17 25) ; US : (52 19) (23 40) ; C : (43 14) (18 37) ;

partout en régression, dans le groupe de niveau d'instruction élevé : probablement parce qu'elle est perçue comme une forme d'action directe polie, sans risque et peu efficace, caractéristique d'un temps où la politique était, de façon plus exclusive qu'aujourd'hui, le fait des politiques. Ce résultat a de quoi éveiller, notamment chez certains intellectuels français, un sentiment de nostalgie, lorsqu'on sait l'importance qu'eut la pétition, sinon dans la vie politique française, du moins chez les intellectuels *engagés*. Cette importance fut telle qu'un historien a consacré des travaux méticuleux à l'histoire de la pétition en France (Sirinelli, 1990).

Autre évolution notable, liée à la fin des idéologies : on ne croit pas aux solutions politiques extrêmes. L'extrémisme de tous bords est en déclin[1]. L'on opte plutôt pour des réformes graduelles, et ce d'autant plus qu'on appartient au groupe jeune. L'idée reçue selon laquelle la jeunesse (à l'exception peut-être de sa partie la plus marginalisée) serait portée à l'extrémisme peut être renvoyée aux oubliettes. Sauf en France, les partisans des réformes graduelles sont plus nombreux chez les jeunes que chez les anciens. Le cas de la France s'explique

des occupations d'immeuble : F : (36 11) (21 32) ; A : (19 04) (07 19) ; GB : (17 04) (09 15) ; S : (36 05) (11 25) ; I : (32 10) (19 18) ; US : (31 10) (12 24) ; C : (34 09) (16 27) ; une pétition : F : (37 28) (34 21) ; A : (32 35) (35 16) ; GB : (15 21) (18 14) ; S : (22 29) (31 13) ; I : (38 35) (36 18) ; US : (31 18) (25 13) ; C : (17 18) (21 11).

1. *Changement sociétal* (% pour un changement radical) : F : (06 02) (05 02) ; A : (02 02) (01 03) ; GB : (07 04) (06 03) ; S : (09 03) (07 02) ; I : (10 06) (07 09) ; US : (09 06) (09 05) ; C : (08 04) (08 04) ; (% pour une réforme graduelle) : F : (70 79) (70 81) ; A : (75 55) (62 75) ; GB : (85 75) (77 93) ; S : (87 83) (79 94) ; I : (82 81) (83 73) ; US : (80 69) (67 84) ; C : (82 79) (73 88).

sans doute par l'influence tenace de l'idéologie qui fait de la politique le *primum movens* du changement social. Partout ailleurs, le temps semble s'éloigner où l'on pensait qu'une variable détermine les autres (ce postulat représentant une forme privilégiée des simplifications hyperboliques caractéristiques de l'idéologie).

Bref, on continue de croire plus que jamais à l'influence du politique, mais on ne croit pas que le changement social soit avant tout le fait du politique et encore moins qu'il existe une société idéale ; on tend à contester le monopole des politiques sur la politique ; on ne croit plus à l'idéologie, on s'éloigne de tout radicalisme ; on entend agir dans l'arène politique à côté des politiques ; on croit à la réforme plus qu'à la révolution ; probablement parce qu'on a de plus en plus le sens de la complexité. À quoi l'on peut ajouter que ces tendances sont favorisées par l'éducation. Même si les systèmes d'éducation ne donnent pas toujours l'impression de fonctionner de manière bien satisfaisante, ils paraissent donc capables de contribuer au développement chez l'individu du sens de la complexité ; bref, du réalisme.

Une autre série de résultats me semble enfin digne d'être évoquée : celle qui concerne la valorisation de l'égalité et de la liberté. Les plus instruits valorisent davantage la liberté, sauf au Royaume-Uni[1] : ils donnent plus d'importance aux *droits de*

1. *La liberté plus importante que l'égalité* (% oui) : F : (53 53) (51 63) ; A : (69 63) (64 70) ; GB : (63 68) (65 63) ; S : (66 64) (60 75) ; I : (45 46) (46 49) ; US : (68 74) (67 73) ; C : (61 63) (60 62).

qu'aux *droits à* (pour employer le vocabulaire d'Isaiah Berlin, 1979), ou, comme on peut encore dire, aux *droits-liberté* qu'aux *droits-créance.* Mais on relève quand même une forte demande en matière de droits-créance.

Enfin, c'est la gauche qui apparaît aux répondants un peu partout comme davantage porteuse d'idées : les sympathies pour la gauche sont plus élevées chez les plus jeunes et elles croissent avec le niveau d'instruction. À noter toutefois une exception, celle de la Suède, résultant peut-être d'un phénomène d'usure et de saturation, dû lui-même à la longue présence de la social-démocratie au pouvoir dans ce pays[1]. Quant à l'attirance pour le centre, elle est d'autant plus basse que le niveau d'instruction est élevé, peut-être parce que les hommes politiques centristes sont perçus comme soucieux de compromis plutôt que d'idées. Mais cette faible popularité du centrisme n'est pas exclusive d'un rejet du radicalisme et d'une tendance au réformisme.

À ce point, on peut mentionner une intéressante analyse secondaire proposée par Forsé (1999) des données d'enquête sur les valeurs européennes. Elle montre que l'attirance pour le libéralisme économique croît avec le niveau d'instruction : plus on a un niveau d'instruction élevé, moins on est interventionniste en matière économique. La même étude permet de souligner que, au-delà des effets

1. *Auto-identification droite-gauche* (% gauche) : F : (42 35) (38 48) ; A : (38 20) (25 41) ; GB : (29 20) (24 30) ; S : (22 25) (31 23) ; I : (42 34) (40 59) ; US : (17 14) (14 22) ; C : (17 10) (12 21).

individuels de l'éducation, il existe aussi des effets des traditions nationales de pensée. Les Espagnols apparaissent au vu des données comme les plus interventionnistes en matière économique des Européens. J'aurai l'occasion de revenir sur ce point plus bas, lorsque j'évoquerai les opinions relatives aux moyens de lutte contre le chômage.

LA RELIGION

S'agissant de la religion, on observe partout une tendance à la baisse de la religiosité dans le groupe d'âge jeune. À la question « parmi les éléments suivants (travail, famille, amis, loisir, politique, religion), lesquels sont importants dans votre vie », la religion est choisie en France par 8 % des 16-29 ans, contre 23 % pour les 50 ans et plus. Même aux États-Unis, où la religiosité est beaucoup plus élevée, la chute est notable : de 61 % à 46 %. La relation avec le niveau d'instruction est un peu moins lisible. La proportion de ceux qui jugent la religion importante est en déclin avec le niveau d'instruction aux États-Unis (de 59 à 46 %) et au Canada (45 à 23 %) ; elle est très faible et descend faiblement en Allemagne (15 à 11 %) ; elle est stable à un niveau bas en France (15 %, 15 %) et en Grande-Bretagne (17 %, 17 %) ; elle remonte en Suède (de 8 à 15 %) et en Italie (de 35 à 40 %). Mais il faut surtout noter que la religion est bien moins fréquemment choisie parmi les éléments importants dans la vie que la famille, mais aussi que le travail, les amis, la politique ou le loisir. Bien entendu, l'effacement de la religiosité en termes absolus varie beaucoup d'un pays à l'autre : on retrouve ici des résultats convergents avec ceux d'autres enquêtes (Lambert, 2002). Selon l'étude de Ianaccone (1991), les pays scandinaves apparaissent comme les plus irréligieux et les États-Unis comme le pays le plus religieux du monde occidental.

On le sait : la religiosité des États-Unis a depuis toujours frappé les observateurs. À la fin du XVIIIe siècle déjà, Adam Smith soulignait l'importance du caractère monopolistique ou concurrentiel de l'offre religieuse pour expliquer les différences internationales en matière de sécularisation. Cette conjecture reste pertinente aujourd'hui. La Suède est luthérienne à 95 %. Cela explique sans doute en partie sa faible religiosité : en cas de désaccord avec l'Église, le croyant n'a d'autre solution que d'en sortir. Les États-Unis disposent au contraire d'une offre religieuse concurrentielle. Le croyant peut toujours trouver une version du protestantisme avec laquelle il se sente en sympathie. Tocqueville et Weber notamment ont proposé des explications complémentaires de celle de Smith. Alors que, en raison de la position dominante de l'église catholique en France ou de l'Église luthérienne dans la Prusse du XIXe siècle, Église et État se sont sévèrement affrontés dans les deux pays (cf. la *Constitution civile du clergé* en France, le *Kulturkampf* en Prusse), l'éclatement des sectes protestantes américaines rendait impossible un tel conflit.

Il en résulte que les Églises américaines ont conservé des fonctions, dans les domaines de l'éducation, de la solidarité et de la santé, que les États français et allemand ont confisquées. Il s'ensuit que la religion est bien davantage présente dans la vie quotidienne du citoyen américain que du citoyen allemand ou français. En outre, l'existence aux États-Unis d'innombrables sectes protestantes a fait que le dénominateur commun du protestantisme américain est de caractère surtout moral, cette pluralité ayant induit une minimisation des différences qui distinguent les sectes du point de vue du dogme. Par un effet non voulu, cette affirmation de la dimension morale du protestantisme américain relativement à sa dimension dogmatique lui a fourni une protection contre les effets ravageurs des progrès de la science : la science peut mettre le dogme en difficulté, non la morale. De cette protection ne pouvaient bénéficier ni le luthéranisme allemand ou scandinave, ni le catholicisme français. Bref, des causes historiques bien identifiées permettent d'expliquer ce qu'on a coutume d'appeler *l'exception religieuse américaine.* Au Canada, on ne peut évidemment analyser les tendances observées en faisant abstraction de la *révolution tranquille* du Québec.

On n'observe pas seulement un déclin de la religiosité, mais aussi un changement du contenu de la religion dans l'esprit des individus. Les données de Inglehart fournissent des renseignements concordants avec ceux qu'on tire d'autres enquêtes, et l'on y retrouve les traits de la religiosité occidentale tels qu'ils ont été fort bien décrits par divers auteurs et notamment par D. Hervieu-Léger (1993, 2001). On relève des doutes croissants de la part des répondants, notamment sur l'existence de Dieu. Cette croyance est dans tous les cas moins fréquente dans le groupe des jeunes et dans le groupe de niveau d'instruction élevé. Il faut noter toutefois que la croyance en Dieu reste très fréquente : 51 % des jeunes Français, 89 % des jeunes Italiens et 85 % des jeunes Canadiens croient en Dieu[1]. Mais l'image de Dieu se fait abstraite : le pourcentage de ceux qui croient à un Dieu *personnel* est beaucoup plus faible et tend à diminuer dans les groupes d'âge jeune. Il est sensiblement plus faible dans le groupe de niveau d'instruction élevé en Allemagne, en Italie, aux États-Unis et au Canada, et à peu près semblable dans les deux groupes de niveau d'instruction dans les trois autres pays. Frappantes sont ici les différences entre nations : 18 % seulement des jeunes Français, 14 % des Allemands, 21 % des Anglais, 13 % des Suédois et 37 % des jeunes Canadiens croient en un Dieu personnel, contre 62 % des jeunes Italiens et 68 % des jeunes Américains. Dieu reste

1. *Croyance en Dieu* (% croient en Dieu) : F : (51 77) (65 57) ; A : (62, 89) (82 70) ; GB : (63 89) (81 67) ; S : (34 62) (48 48) ; I : (89 94) (91 86) ; US : (95 98) (97 94) ; C : (85 94) (91 85). *Sens de la vie* (% dû à l'existence de Dieu) : F : (16 47) (33 25) ; A : (13 48) (35 23) ; GB : (16 55) (39 26) ; S : (10 25) (18 14) ; I : (30 55) (41 29) ; US : (54 69) (64 55) ; C : (27 49) (47 28). *La mort a un sens seulement si Dieu existe* (% oui) : F : (19 42) (31 27) ; A : (14 41) (33 22) ; GB : (22 49) (39 31) ; S : (12 22) (18 13) ; I : (39 60) (49 27) ; US : (38 61) (56 38) ; C : (23 52) (48 29). *Importance de Dieu* (% très important) : F : (15 43) (31 25) ; A : (25 53) (42 35) ; GB : (16 54) (37 30) ; S : (13 30) (20 23) ; I : (58 75) (66 59) ; US : (68 84) (79 71) ; C : (51 76) (72 57).

donc important, mais il s'agit d'un dieu non personnel, sauf dans les pays où le niveau général de la religiosité reste élevé[1]. C'est seulement dans ces pays qu'on attribue à Dieu le sens de la vie et de la mort. Encore cette fonction du divin apparaît-elle partout en régression chez les plus jeunes et les plus instruits. Il en va presque dans tous les cas de même s'agissant de l'importance générale attribuée à Dieu.

On attend de moins en moins le réconfort de la religion[2] ; et ce, d'autant moins qu'on a un niveau d'instruction plus élevé (sauf dans le cas de la Suède). Dieu est de moins en moins souvent choisi – on l'a dit – comme donnant un sens à la vie *(Life is meaningful only because God exists)*. En revanche, l'affirmation : *the meaning of life is that you try to get the best of it*[3] est plébiscitée. À noter toutefois que cet « immanentisme » est moins radical lorsque le niveau d'instruction est élevé. Quoi qu'il en soit, pour la plupart, jeunes et moins jeunes, plus instruits et moins instruits, le sens de la vie est à rechercher ici-bas.

Le contenu des croyances se modifie : dans le sens d'une disparition du souci de l'au-delà, remplacé par un souci du bonheur ici-bas. Selon Max

1. *Il y a un Dieu personnel* (% oui) : F : (18 30) (23 23) ; A : (14 37) (29 17) ; GB : (21 42) (33 34) ; S : (13 20) (16 20) ; I : (62 75) (68 60) ; US : (68 73) (74 66) ; C : (37 56) (54 39).

2. *Réconfort et force tirés de la religion* (% oui) : F : (26 52) (38 33) ; A : (26 63) (49 39) ; GB : (25 60) (44 42) ; S : (23 38) (25 34) ; I : (60 84) (73 56) ; US : (72 87) (84 75) ; C : (50 79) (75 55).

3. *Sens de la vie : en tirer le meilleur* (% oui) : F : (91 84) (89 88) ; A : (84 78) (82 72) ; GB : (96 90) (93 86) ; S : (90 77) (84 79) ; I : (63 70) (69 57) ; US : (80 86) (87 80) ; C : (88 83) (86 81).

Weber (1922), le but primordial de la religion est fort bien décrit par le *Deutéronome* (au chap. IV, verset 40) : on la pratique afin d' « avoir bonheur et longue vie sur la terre ». Cet objectif lui paraît, non seulement commun à toutes les religions (il est par exemple illustré par le rôle symbolique que les Chinois font jouer aux animaux réputés de grande longévité, tout autant que par ce verset de l'Ancien Testament). C'est cette recherche du bonheur qui a notamment inspiré la création de l'au-delà comme lieu de compensation des malheurs d'ici-bas. Aujourd'hui, il semble qu'on tende à retrouver dans sa nudité l'objectif premier des religions tel qu'il est défini par Max Weber à partir du *Deutéronome.*

Le phénomène des « sectes », au sens, non de Weber et de Troeltsch (mouvements dissidents venant se greffer sur les grandes traditions religieuses), mais au sens moderne du terme, ne s'explique pas sans cette hypothèse : les adeptes des sectes viennent y rechercher le bonheur. L'ingénieur électronicien qui se livre à des pratiques que son entourage ou que l'observateur jugeront facilement curieuses applique en fait ce qu'il croit être des techniques de bonheur. Elles n'ont dans bien des cas, semble-t-il, ni plus ni moins d'efficacité que certaines techniques chimiques, psychologiques, psychosociologiques ou psychanalytiques. Les « sciences humaines » inspirent d'ailleurs souvent les « techniques » de bonheur proposées par les sectes. La plupart, y compris le Falun Gong, aujourd'hui répandu sur tous les continents, s'inspirent par exemple, d'une façon ou d'une autre, des techniques de « thérapie de groupe ». Mais ces « techniques » s'appuient aussi sur des « hypothèses » empruntées aux grandes traditions religieuses : sur l'hypothèse de l'existence de forces surnaturelles notamment. Le Falun Gong reprend des notions centrales du bouddhisme et aussi de la sagesse chinoise. Les sectes nées dans l'espace chrétien proposent de même un cocktail composé d'éléments empruntés aux sciences humaines et au christianisme. Bien qu'immanentistes par leur objectif et par la nature de leur offre (le bonheur ici-bas), elles empruntent aux religions l'hypothèse de l'existence de forces supérieures. Mais ces applications nouvelles des notions empruntées aux religions traditionnelles ne sont pas suffisantes pour empêcher une érosion des croyances en l'au-delà.

Si l'on examine maintenant les croyances ayant trait à quelques-unes des notions centrales des traditions religieuses (âme, diable, enfer, ciel, etc.), on remarque que la croyance en l'existence de *l'âme* se maintient à un niveau élevé. De plus, elle ne descend que faiblement du groupe des 50 ans et plus au groupe jeune et croît même en Suède. Et elle apparaît dans plusieurs cas comme d'autant plus fréquente que le niveau d'instruction est plus élevé et, dans les autres cas, comme stable ou quasi stable[1].

Durkheim (1979 [1912]) nous fournit une explication de ce point : l'on croit à l'âme *parce*

1. *Croyance :* en l'âme (% oui) : F : (56 62) (52 61) ; A : (66 81) (77 74) ; GB : (65 73) (68 71) ; S : (60 54) (49 73) ; I : (79 81) (78 73) ; US : (93 93) (93 92) ; C : (81 88) (87 85).

qu'elle existe au sens où elle traduit de façon symbolique une réalité : celle de la transcendance de l'homme, au sens que Luckmann (1991) prête à cette notion, à savoir que, parmi les êtres vivants, l'homme est le seul capable de se donner des fins non inscrites dans sa nature *(Das Transzendieren der Natürlichkeit)*. Pour Durkheim, la notion d'âme indique – si on accepte de retraduire en langage moderne les intuitions des *Formes élémentaires de la vie religieuse* – que l'homme a la particularité parmi les vivants de distinguer le sacré et le profane, en d'autres termes : les valeurs et les faits (Boudon, 2000, chap. 2). Le fait que l'interprétation symbolique de la notion d'âme soit immédiatement lisible explique sans doute sa popularité persistante.

En revanche, le *ciel* et surtout l'*enfer* et le *diable* ne font plus autant recette : sauf exception, la croyance en ces notions décline chez les plus jeunes et chez les plus instruits. Le *diable* et l'*enfer* ont le double inconvénient d'être des notions trop imagées pour être facilement ramenées à des symboles et, de surcroît, d'être associées à des sentiments négatifs. Le *ciel* souffre du premier inconvénient, non du second. Or on croit plus au ciel qu'à l'enfer : nouvel indice du fait que la religion est perçue comme n'ayant un sens que si elle apporte le bonheur et à son défaut l'espoir. On tend à croire plus à *la vie après la mort* qu'au ciel : la première notion est plus facile à traiter sur le mode symbolique que la seconde, cette dernière étant sans doute trop concrète et imagée ; de surcroît, la seconde notion implique la première, la réciproque étant moins plausible. Dans le cas de plusieurs pays, la fréquence de la croyance dans la vie après la mort augmente avec le niveau d'instruction. Il en va de même de la croyance en *la résurrection des morts* (qui tend toutefois à être moins populaire que la « vie après la mort », notion qui a l'avantage d'être de contenu plus abstrait et incertain). L'attrait de ces notions provient peut-être de ce qu'elles peuvent sans trop de difficulté être associées à des notions immanentes (foi dans la valeur de l'existence individuelle, dans la distinction entre l'individu et la personne, espoir dans le progrès moral de l'humanité, etc.)[1]. À noter toutefois que, sur ces sujets, Canada et surtout États-Unis versent moins dans le scepticisme que les pays européens, même s'il est plus marqué chez les plus instruits.

Il n'est assurément pas facile de rendre compte du détail de ces résultats : il faudrait pour cela des données complémentaires tirées d'entretiens approfondis. Il faut donc interpréter les notations qui précèdent comme des conjectures. Pour résu-

1. *Croyance :* au Diable (% oui) : F : (18 26) (22 18) ; A : (12 25) (20 11) ; GB : (30 35) (33 31) ; S : (13 14) (11 14) ; I : (37 48) (43 32) ; US : (73 69) (71 67) ; C : (44 47) (48 41) ; à l'Enfer (% oui) : F : (14 24) (20 14) ; A : (09 21) (17 08) ; GB : (28 28) (28 22) ; S : (08 09) (08 07) ; I : (35 51) (44 31) ; US : (74 71) (74 64) ; C : (43 44) (43 39) ; au Ciel (% oui) : F : (28 41) (37 27) ; A : (26 51) (43 23) ; GB : (48 68) (63 45) ; S : (28 36) (35 28) ; I : (50 63) (56 32) ; US : (89 88) (91 80) ; C : (72 79) (81 66) ; dans la vie après la mort (% oui) : F : (46 50) (39 52) ; A : (42 59) (52 47) ; GB : (45 58) (52 45) ; S : (47 33) (33 43) ; I : (69 71) (69 59) ; US : (73 80) (74 80) ; C : (68 70) (69 71) ; dans la résurrection des morts (% oui) : F : (27 38) (28 36) ; A : (28 52) (44 36) ; GB : (26 44) (37 36) ; S : (18 27) (20 25) ; I : (47 62) (54 45) ; US : (65 76) (72 69) ; C : (50 63) (62 53).

mer ces remarques : il semble qu'on puisse faire tenir ensemble les diverses données concernant les croyances religieuses qu'on vient d'examiner à partir de la théorie selon laquelle *une notion a d'autant plus de chance de se maintenir qu'elle peut plus facilement recevoir une interprétation symbolique et immanentiste, et qu'elle est porteuse d'un message d'espoir ou de bonheur.*

La notion d'âme s'associe facilement, quant à elle, avec la notion non seulement de la transcendance humaine, mais aussi de la dignité humaine. La notion de personne, a écrit Scheler (Boudon, 2000, chap. 7), caractérise l'individu en tant qu'il est capable d'endosser des jugements de valeur. La notion d'âme est facilement perçue comme une traduction symbolique de la notion de personne, celle de l'immortalité de l'âme pouvant alors être liée à l'idée que, si *l'individu* est mortel, la notion de mort ne s'applique pas à la *personne.*

Bref, on pourrait reprendre et prolonger certaines des intuitions de Durkheim dans le sens d'une théorie « connexionniste », posant le principe qu'une notion a d'autant plus de chances de subsister qu'on peut la relier plus facilement à des notions décrivant le réel : on peut croire à une idée parce qu'elle est reliée à d'autres par une relation d'implication, mais aussi par toutes sortes d'autres types de relations. Telle est l'intuition de base du « connexionnisme ».

Bien entendu – on rencontre ici un autre thème durkheimien – la religion reste importante par les cérémonies qu'elle propose d'associer aux grands moments du cycle de vie. Mais elle continue d'accompagner la mort plus fréquemment que la naissance ou le mariage, et il apparaît moins indispensable aux jeunes et aux plus instruits de donner une coloration religieuse aux rituels qui accompagnent le cycle de la vie[1]. Si la tendance est ici au déclin, ces cérémonies restent dans la plupart des cas très souvent pratiquées.

Quant aux Églises, elles sont vues comme habilitées à s'exprimer et pouvant être efficaces s'agissant surtout de questions porteuses d'interrogations morales, comme le désarmement, le tiers monde ou la discrimination raciale[2], et sur des sujets débordant franchement la seule compétence des gouvernements nationaux. Elles sont vues comme autorisées à s'exprimer sur le désarmement plus que sur le chômage, sans doute parce que ce dernier est perçu comme relevant au premier titre

1. *Cérémonie religieuse pour* : la naissance (% important) : F : (58 78) (72 54) ; A : (57 85) (78 55) ; GB : (61 74) (68 55) ; S : (56 64) (57 53) ; I : (81 91) (87 75) ; US : (57 61) (62 52) ; C : (69 74) (76 61) ; le mariage : F : (63 80) (75 54) ; A : (64 87) (81 57) ; GB : (77 87) (82 68) ; S : (67 63) (63 55) ; I : (78 90) (84 76) ; US : (87 87) (86 84) ; C : (84 88) (86 76) ; la mort : F : (71 82) (79 62) ; A : (74 91) (88 71) ; GB : (83 91) (88 74) ; S : (87 84) (85 74) ; I : (83 91) (88 79) ; US : (90 89) (89 85) ; C : (85 88) (89 77).

2. *Légitime pour les Églises de s'exprimer :* sur le désarmement (% oui) : F : (53 55) (50 60) ; A : (55 60) (55 63) ; GB : (60 54) (56 73) ; S : (64 57) (51 77) ; I : (69 71) (70 62) ; US : (47 50) (48 60) ; C : (56 57) (52 67) ; sur le tiers monde : F : (71 76) (72 79) ; A : (80 87) (83 84) ; GB : (80 75) (75 89) ; S : (78 75) (70 87) ; I : (88 89) (87 79) ; US : (59 57) (50 69) ; C : (75 72) (70 81) ; sur la discrimination raciale : F : (56 63) (56 68) ; A : (73 76) (73 83) ; GB : (70 68) (65 85) ; S : (72 64) (56 84) ; I : (85 79) (80 83) ; US : (70 67) (64 83) ; C : (69 66) (59 79) ; sur l'écologie : F : (38 43) (39 49) ; A : (54 61) (56 65) ; GB : (66 60) (61 77) ; S : (58 61) (55 73) ; I : (57 68) (61 62) ; US : (58 59) (55 68) ; C : (49 55) (45 64).

de la responsabilité gouvernementale[1]. Elles sont perçues comme dotées d'autorité sur les grandes questions morales, comme l'euthanasie ou l'interruption volontaire de grossesse : sur les sujets où se pose la question du droit de vie et de mort sur un tiers, et aussi sur les sujets mettant en cause la dignité de la personne et des peuples[2]. Le groupe d'âge jeune est le plus souvent plus sceptique sur la légitimité des interventions éventuelles des Églises ; le groupe d'instruction élevé tend, sur la plupart des sujets, à voir dans les Églises une force morale davantage que le groupe d'instruction bas.

L'interprétation des données concernant l'autorité des Églises sur des questions comme l'avortement ou l'euthanasie est difficile : ici, les réponses dépendent, non seulement des principes latents auxquels souscrivent les répondants, mais des positions particulières prises *hic et nunc*, par les différentes Églises. Mais on décèle tout de même dans les réponses la présence de principes, ou en tout cas de raisons fortes : on accorde d'autant plus facilement une autorité morale aux Églises qu'il

1. *Légitime pour les Églises de s'exprimer :* sur le chômage (% oui) : F : (24 50) (38 51) ; A : (38 47) (40 54) ; GB : (43 50) (46 60) ; S : (39 30) (27 57) ; I : (52 70) (61 57) ; US : (51 48) (47 58) ; C : (34 44) (34 47) ; sur le gouvernement : F : (10 19) (16 21) ; A : (17 21) (17 23) ; GB : (37 32) (34 54) ; S : (34 24) (20 44) ; I : (25 26) (23 16) ; US : (40 36) (35 47) ; C : (29 32) (26 39).

2. *Légitime pour les Églises de s'exprimer :* sur l'homosexualité (% oui) : F : (20 37) (30 31) ; A : (22 39) (30 32) ; GB : (39 51) (44 66) ; S : (39 32) (26 58) ; I : (36 48) (40 29) ; US : (54 60) (56 68) ; C : (44 53) (45 50) ; sur l'euthanasie : F : (46 57) (50 57) ; A : (66 76) (71 77) ; GB : (56 63) (58 80) ; S : (60 54) (44 76) ; I : (63 67) (64 67) ; US : (64 59) (60 73) ; C : (58 61) (55 65) ; sur l'avortement : F : (32 46) (38 40) ; A : (41 65) (55 56) ; GB : (53 58) (53 78) ; S : (45 44) (34 65) ; I : (57 64) (60 59) ; US : (64 65) (64 70) ; C : (53 61) (58 59).

s'agit d'une *question morale grave* ; qu'il s'agit de questions portant sur des décisions graves *concernant un tiers,* et que ces questions *ne relèvent pas au premier chef de la compétence et la responsabilité des gouvernements.*

LE BIEN ET LE MAL

L'objectif primordial de la religion subsiste : rechercher le bonheur. La catégorie du *sacré* au sens de Durkheim continue d'habiter, elle aussi, l'esprit des répondants : les notions d'âme, de ciel, de vie après la mort sont toujours présentes. Mais on observe aussi une tendance à la critique des notions qui ne peuvent recevoir facilement une interprétation symbolique. Et la religion n'est plus pour les répondants les plus jeunes une source de spiritualité aussi importante que pour les aînés. Le besoin de sens, de spiritualité, de valeurs, le besoin d'accomplir quelque chose de significatif se décèle à travers les réponses des diverses catégories. Mais l'univers des valeurs coïncide moins chez les jeunes avec celui du religieux. On a dit fort justement que les grandes traditions religieuses tendent désormais à fournir les ingrédients d'un « bricolage » mental. On leur emprunte des symboles, des concepts, des techniques ; mais on en emprunte aussi à la psychologie ou à la psychanalyse. On est passé par degrés d'un système où la religion disposait d'un quasi-monopole sur le discours relatif au moral (au sens large) à un système où elle ne représente qu'une source d'inspiration parmi d'autres. L'attitude critique à l'égard des notions échappant à une interprétation symbolique est d'autant plus fréquente que le niveau d'instruction est plus élevé, indiquant, ici encore, que l'éducation est sans doute capable d'approfondir chez l'individu le sens de la complexité : ici, de *la complexité des relations entre le langage et le réel.*

Ce *sens de la complexité* apparaît aussi dans le domaine de la morale. Le bien et le mal sont moins conçus comme définis d'avance dans le groupe des jeunes, et chez les plus instruits. Il s'agit de moins en moins d'appliquer des principes tout faits, mais de les moduler en fonction des circonstances ; d'en discuter la validité avant de les appliquer[1]. Dans le même ordre d'idée, le sens du péché tend à décliner chez les jeunes et avec le niveau d'instruction[2], probablement parce que la notion de péché est inséparable de celle d'interdit et peu compatible avec la discussion et la délibération.

Cette substitution de l'éthique de la discussion et de la délibération aux interdits et aux tabous se traduit dans les variations des jugements portés sur différents types de délits en fonction de l'âge et du niveau d'instruction. Sur ce point, la tolérance à l'égard de diverses violations (fraude fiscale, fraude sur les titres de transport, vol de marchandise

1. *Existence de guides sûrs du bien et du mal* (% oui) : F : (15 35) (27 22) ; A : (14 36) (29 19) ; GB : (20 50) (40 28) ; S : (10 30) (23 16) ; I : (27 57) (46 36) ; US : (43 55) (55 40) ; C : (24 38) (38 22).

2. *Croyance au péché* (% oui) : F : (38 55) (46 41) ; A : (50 74) (68 56) ; GB : (60 75) (71 72) ; S : (23 45) (37 31) ; I : (68 81) (75 65) ; US : (92 91) (89 87) ; C : (73 78) (75 70).

volée, conservation de l'argent trouvé, corruption, avortement, agression à l'égard des forces de l'ordre, etc.) tend à augmenter chez les plus jeunes et chez les plus instruits. La question portait sur le point de savoir si ces délits sont *toujours injustifiés.* Les plus jeunes pensent moins fréquemment que leurs aînés que ces interdits puissent être inconditionnels. Les plus instruits croient moins facilement à leur inconditionnalité, encore que les résultats soient moins tranchés dans le cas de la variable instruction que dans celui de la variable âge[1]. Les plus jeunes sont franchement plus laxistes que leurs aînés.

Au total, les réponses sur le bien et le mal paraissent, comme les réponses sur les croyances religieuses, traduire ce que Max Weber qualifia de processus de *rationalisation :* on tend à prendre les notions religieuses au second degré ; à leur conférer une interprétation symbolique ; à leur donner un sens immanentiste ; à ne plus croire aux interdits absolus : aux *tabous.* J'y reviendrai.

1. *Jamais justifié* (% oui) : revendiquer des avantages sociaux auxquels on n'a pas droit : F : (26 49) (39 46) ; A : (42 69) (61 53) ; GB : (49 82) (70 66) ; S : (58 84) (79 79) ; I : (58 72) (67 72) ; US : (51 77) (72 72) ; C : (57 83) (74 64) ; voyager sans titre de transport : F : (41 70) (56 51), A : (33 67) (58 47) ; GB : (40 76) (60 59) ; S : (48 81) (79 64) ; I : (49 76) (67 71) ; US : (43 70) (67 59) ; C : (48 76) (67 57) ; acheter des marchandises volées : F : (47 78) (68 63) ; A : (53 81) (73 64) ; GB : (49 88) (70 76) ; S : (70 95) (91 91) ; I : (57 86) (75 72) ; US : (62 82) (79 77) ; C : (57 87) (78 71) ; consommer de la marijuana : F : (71 93) (86 78) ; A : (66 92) (93 69) ; GB : (63 92) (82 56) ; S : (88 98) (97 89) ; I : (72 95) (87 73) ; US : (67 83) (80 68) ; C : (53 84) (79 51) ; frauder le fisc : F : (37 55) (51 40) ; A : (30 53) (46 31) ; GB : (41 68) (56 49) ; S : (51 66) (69 54) ; I : (46 65) (57 56) ; US : (56 76) (74 66) ; C : (50 73) (67 54).

STRUCTURATION FINE ET PERSISTANTE DES VALEURS

Les valeurs ne sont donc en aucune façon nivelées et rien ne permet d'affirmer qu'elles soient perçues comme relevant du libre choix. Sur toutes sortes de sujets, on observe au contraire une structuration statistique fine, persistante et stable des réponses, laquelle traduit l'existence dans l'esprit des répondants de hiérarchies des valeurs perçues comme objectivement valides. Cette structure persiste tout en se déformant dans le temps, mais la déformation elle-même n'est pas quelconque : elle obéit au contraire à des tendances générales.

Ce glissement *topologique*, on l'observe – pour prendre un premier exemple – quand on interroge les gens sur les valeurs que les parents sont censés transmettre à l'enfant. La hiérarchie des valeurs est *grosso modo* la même d'une génération à l'autre, mais, comme les jeunes parents ont davantage le sens de l'autonomie de l'enfant, ils sont moins insistants que leurs aînés. On continue d'attribuer de l'importance à l'inculcation de l'indépendance, du goût du travail, de la responsabilité, de la détermination. La valeur attribuée à la responsabilité est élevée et tend à augmenter chez les jeunes. Il en va de même de la tolérance. En revanche, les valeurs dont la cote est plus basse dans le groupe des 50 ans et plus tendent à baisser encore chez les plus jeunes. On accorde moins d'importance à la transmission des bonnes manières et des valeurs religieuses, du sens de l'épargne, de l'obéissance.

Ce sont donc surtout les valeurs insistant sur l'*autonomie* de l'individu qui sont en hausse ; les valeurs impliquant une *soumission* de l'individu – à des institutions, des idées, des principes, etc. – sont au contraire en baisse.

C'est sur ce point de la persistance de la *structuration,* des valeurs que je voudrais insister maintenant en examinant de près deux exemples.

L'INTERRUPTION VOLONTAIRE DE GROSSESSE

Les données relatives à l'interruption volontaire de grossesse (IVG) permettent de souligner plusieurs points importants. Elle est plus ou moins acceptée selon les pays. Ainsi elle est plus acceptée en Suède qu'en Italie. Mais, dans tous les cas, on observe une forte variabilité de l'acceptation en fonction des *motifs* de l'interruption.

Quatre motifs étaient proposés par l'enquête : la *santé de la mère,* la forte probabilité de donner naissance à *un enfant handicapé,* le *célibat de la mère,* le *refus de la mère* d'avoir un enfant. Aux États-Unis, l'IVG est (toutes catégories confondues) largement approuvée dans le premier cas (86 %), beaucoup moins dans le second (55 %), encore moins dans le troisième (30 %), et moins encore dans le quatrième (26 %). En France, elle est approuvée dans le premier cas (94 %) et dans le second (91 %), mais non dans le troisième (30 %), et discutée dans le quatrième (48 %). Les deux pays ont en commun l'idée que l'IVG doit se justifier. Elle n'est pas une question privée. Les principes justificatifs sont différents dans les deux cas. Mais l'un d'entre eux est commun : l'interruption ne peut se justifier par des *raisons socio-économiques* aussi facilement que par des *raisons médicales*. Il est plus difficile socialement et économiquement à la mère d'assurer sa responsabilité lorsqu'elle est célibataire, mais cela n'est pas une raison suffisante pour justifier l'IVG. En revanche, Français et Américains n'évaluent pas de la même façon le cas du handicap de l'enfant. Pour les Américains, il s'agit d'un motif de portée discutable, pour les Français d'un motif hautement recevable. La différence est sans doute à mettre en relation avec la plus grande religiosité des Américains, qui les amène à accepter plus facilement les souffrances et les difficultés résultant du handicap de l'enfant, pour l'enfant lui-même et pour ses parents. De même, les Américains attachent moins d'importance à la volonté de la mère. Ce qu'il y a de sûr, en tout cas, c'est que l'IVG est perçue dans les deux cas comme devant être justifiée, les systèmes de justification ne se recouvrant que partiellement d'un pays à l'autre.

Il est par ailleurs intéressant de relever la forte persistance de la hiérarchie des justifications d'un groupe d'âge à l'autre. Aux États-Unis comme en France, la hiérarchie des quatre motifs considérés est la même dans tous les groupes d'âge. Il y a plus : on n'observe guère de différence entre le groupe d'âge des 50 ans et plus et celui des 16-29 ans. La hiérarchie des motifs rendant l'IVG légitime se maintient d'un groupe d'âge à l'autre. En revanche, la tolérance apparaît comme croissante avec l'éducation. Aux États-Unis, lorsqu'on a un niveau d'instruction élevé, on accepte plus facilement l'IVG, quel qu'en soit le motif, que lorsqu'on a un niveau bas : 90 % contre 78 % d'approbations dans le cas du premier motif, 59 % contre 50 % dans le cas du second, 42 % contre 23 % dans le cas du troisième, 36 % contre 24 % dans le cas du quatrième. Il en va de même en France : pour le premier motif, les taux d'approbation descendent de 97 % à 91 %, pour le second, de 90 % à 88 %, pour le troisième de 40 % à 25 %, pour le quatrième de 57 à 43 % quand on passe du groupe le plus instruit au groupe le moins instruit.

Si on considère les autres pays, les conclusions sont identiques. Les quatre motifs sont perçus comme de force très inégale. Même en Suède, où la tolérance globale est très élevée, sans doute en raison de la faible religiosité de la Suède, le quatrième et surtout le troisième motifs sont beaucoup moins acceptés que les deux premiers. Le troisième est plus facilement accepté par les jeunes (47 %) que par les seniors (31 %), et il est d'autant plus facilement accepté que le niveau d'instruction est plus élevé (50 % contre 31 %). Le quatrième est également d'autant plus facilement accepté que le niveau d'instruction est élevé (57 % contre 47 %). Mais la hiérarchisation des motifs ne change pas avec l'âge et le changement est lent[1].

On observe donc des différences d'un pays à l'autre. Certaines de ces différences sont à mettre en relation avec le degré national de religiosité, mais, par-delà ces différences, on relève aussi des traits communs aux différents pays : importance de la justification de l'IVG, accord sur le caractère non privé de l'acte, franche hiérarchisation des motifs, tendance à une augmentation *lente* de la tolérance.

On en conclut donc que persiste la notion qu'il y a de bons et de moins bons motifs. On est loin de l'idée que l'IVG serait une affaire purement privée, non exposée au jugement moral des tiers. Quant aux systèmes de principes sur lesquels sont fondées les justifications de l'IVG, ils varient d'un contexte national à l'autre, mais ils comportent aussi des aspects communs : les motifs 3 (mère célibataire) et 4 (volonté de la mère) sont partout jugés plus faibles que les motifs 1 et 2. Les jugements des répondants sont donc fondés sur des systèmes de raisons, certaines de ces raisons étant partagées par tous. D'autres dépendent des paramètres caractérisant le contexte national. Enfin, les paramètres ten-

1. *L'avortement légitime au cas où :* la grossesse représente un danger pour la vie de la mère (% oui) : F : (91 93) (91 97) ; A : (99 93) (95 98) ; GB : (95 90) (92 95) ; S : (96 98) (97 99) ; I : (91 89) (92 86) ; US : (85 84) (78 90) ; C : (92 90) (90 94) ; risque d'enfant handicapé : F : (87 91) (88 90) ; A : (82 76) (79 85) ; GB : (77 80) (79 77) ; S : (74 86) (83 76) ; I : (72 74) (77 77) ; US : (54 55) (50 59) ; C : (57 64) (61 63) ; mère célibataire : F : (27 29) (25 40) ; A : (32 11) (19 30) ; GB : (35 35) (32 44) ; S : (47 31) (31 50) ; I : (26 19) (23 24) ; US : (31 28) (23 42) ; C : (35 28) (25 42) ; enfant non désiré par la mère : F : (43 45) (43 57) ; A : (40 21) (28 37) ; GB : (40 41) (39 42) ; S : (50 54) (47 57) ; I : (27 20) (26 28) ; US : (24 24) (24 36) ; C : (30 24) (21 40).

dent à se déformer régulièrement dans le temps, notamment sous l'effet de l'éducation.

Nous sommes ici loin de la disparition du sens des valeurs. Les justifications sont tout autant exigées par les jeunes générations que par les plus anciennes, mais ces justifications évoluent sous l'effet de l'affirmation des valeurs de tolérance, de respect de la volonté et de la dignité d'autrui. Dans le cas de l'IVG, les valeurs individualistes tendant à respecter la volonté du sujet sont évidemment bornées par le fait que l'une des parties concernées – l'enfant à naître – pose le problème des droits de la mère à son égard ; en d'autres termes : des limites à opposer à la volonté de la mère. On comprend que plusieurs argumentations soient ici possibles et que le poids donné à certains arguments dépende de principes généraux, comme ceux que proposent les traditions religieuses. C'est pourquoi on observe par exemple que le motif du handicap de l'enfant est beaucoup moins facilement retenu aux États-Unis qu'en Suède, les deux pays respectivement le plus et le moins religieux du groupe des sept pays.

Ainsi, la tolérance à l'égard de l'IVG est plus grande aujourd'hui qu'hier. Plus exactement, elle est plus grande dans les groupes d'âge plus jeunes. Mais cela ne signifie pas du tout que les raisons de l'IVG soient mises sur le même plan. On observe au contraire une hiérarchisation très lisible de ces raisons, qui est la même d'un groupe d'âge à l'autre et d'un pays à l'autre. Et lorsqu'une évolution se fait en fonction de l'âge, elle respecte cette structuration.

Toutes sortes de données du *Sourcebook* d'Inglehart peuvent s'expliquer si l'on suppose que les individus attachent de plus en plus d'importance au respect de la dignité d'autrui. Plus : si l'on reconnaît que cette valeur tend à être de plus en plus dominante.

Mais on ne passe pas, ici non plus, du noir au blanc ; de l'intolérance à une tolérance indifférenciée. Le respect de la dignité d'autrui n'implique pas qu'on accorde la même valeur à toutes les personnes. Selon Scheler, la *personne* se définit justement – je l'ai dit (Boudon, 2000, chap. 7) – comme *l'individu en tant qu'il est porteur de valeurs.* Ce serait donc nier la dignité de la personne que d'accorder la même valeur à toute personne, quels que soient son comportement et ses valeurs. Il faut accepter les différences, traiter tout individu comme une personne, comme un porteur de valeurs, et cependant ne pas méconnaître le fait que les personnes sont porteuses de valeurs inégales. Il est indispensable d'envisager ces deux dimensions, si l'on veut rendre compte de certaines des données recueillies par Inglehart.

Une question était de savoir si l'on accepterait ou refuserait d'avoir des voisins dotés de certaines caractéristiques : voisins d'une autre race, d'extrême gauche, buveurs, d'extrême droite, criminels, familles nombreuses, sujets émotionnellement instables, immigrants étrangers, malades du sida, toxicomanes, homosexuels, Juifs, Hindous.

Comme dans le cas de l'IVG, la structuration des données apparaît comme très forte. Tout se passe comme si les réponses étaient engendrées par l'application par les répondants d'une *théorie* reposant sur un système de critères hiérarchisés.

Le *premier* de ces critères latents peut s'énoncer : les voisins imaginaires évoqués par la question sont-ils ou non *responsables* de la caractéristique qui leur est prêtée ? Dans le langage de Parsons, est-elle *ascriptive* (héritée) ou *acquise* ? Ainsi, on ne naît pas drogué, on le devient. En revanche, on naît Musulman dans tous les cas, sauf celui de la conversion. La *théorie,* dont je suppose qu'elle inspire les prises de position des répondants, affirme que *la tolérance implique d'accepter toute différence ascriptive.*

Second critère : la différence est-elle positive ou négative du point de vue de certaines valeurs ? Ainsi le drogué a un comportement négatif par rapport à la valeur du contrôle de soi. Toutes choses égales d'ailleurs, les répondants acceptent mal des comportements négatifs du point de vue de certaines valeurs dès lors que le sujet peut en être tenu pour responsable. C'est pourquoi sans doute, comme le note J. Wilson (1993), les drogués eux-mêmes ne s'acceptent pas en tant que drogués.

Troisième critère : est-ce que la différence évoquée est porteuse d'effets *externes* pour parler comme les économistes : est-elle pour le répondant un facteur de nuisance ou de risque ?

On peut en outre introduire la conjecture que ces critères latents sont hiérarchisés. *La différence est d'autant mieux acceptée qu'elle n'est pas négative ; que, si elle est négative, le voisin imaginaire n'en est pas responsable ; et qu'elle n'entraîne pas d'inconvénients, ce critère étant subordonné aux autres.*

Ici encore, on peut parler d'une structuration forte. Ce *système à trois critères, hiérarchisés,* se retrouve d'un groupe d'âge à l'autre et d'un pays à l'autre. Les glissements avec l'âge et l'éducation sont réguliers et l'on peut en esquisser l'explication, ainsi que celle des différences entre pays. La structure des fréquences correspondantes se conserve et se déforme de façon régulière.

Pour fixer les idées, prenons le cas de la France : les voisins les plus mal tolérés, toutes catégories confondues, sont les *buveurs* : 50 % les refusent. Leur comportement trahit une absence de contrôle de soi, donc viole une valeur ; il entraîne des nuisances ; les buveurs en sont responsables : ils écopent d'une mauvaise note sur les trois critères. Les *toxicomanes* sont également rejetés, toutes catégories confondues. Le voisin *émotionnellement instable* peut être difficile à vivre, mais il n'y a pas lieu de le tenir pour nécessairement responsable de son comportement. Une interprétation généreuse, celle qui est compatible avec la valeur de tolérance, veut au contraire qu'on considère son instabilité émotionnelle comme ascriptive. C'est pourquoi, malgré les éventuels inconvénients, 17 % seulement des répondants français, toutes catégories confondues, refusent son voisinage. La *famille nombreuse* est acceptée, malgré les inconvénients qu'entraîne son voisinage : 8 % de Français la refusent. Les *Musul-*

mans (18 % de rejets), les *étrangers* (13 % de rejets), les *Juifs* surtout (7 % de rejets) sont acceptés sans grande résistance, ces derniers parce que la différence est ascriptive, neutre et de surcroît sans doute perçue comme plus faible que celle qu'on attribue aux Musulmans. La tolérance à l'égard des *Hindous* est à peu près la même qu'à l'égard des Juifs (8 % de rejets) ; pour d'autres raisons sans doute : on ne les connaît que de loin. Le taux de rejet de l' « autre race » est de 9 %. S'agissant des *homosexuels* le rejet est plus marqué (24 %), en raison sans doute dans certains esprits de la dissociation entre sexualité et reproduction qu'implique l'homosexualité, dans d'autres esprits de ce que cette dissociation interdit à l'homosexuel de contribuer à la production des citoyens de demain. On saisit sur ce point comme sur beaucoup d'autres l'intérêt qu'il y aurait pour les sciences sociales à accompagner les enquêtes quantitatives d'entretiens approfondis. Les taux de rejet sont également importants pour les extrémistes politiques (24 % de rejets pour les voisins d'*extrême gauche*, 33 % pour les *extrémistes de droite*). C'est que les extrémistes sont porteurs d'un caractère acquis, et qu'ils endossent des valeurs jugées indésirables.

Les taux de rejet concernant les homosexuels suggèrent qu'il n'y a pas lieu de supposer que les réponses aient été biaisées par le souci d'être *politiquement correct.*

On observe bien entendu, sur ces sujets comme sur beaucoup, des différences d'un pays à l'autre. Pour des raisons historiques compréhensibles, les

Allemands rejettent vigoureusement l'idée d'avoir des voisins d'extrême droite (62 % de rejets), mais ils rejettent aussi les voisins d'extrême gauche (51 % de rejets). Autre différence : les Français sont bienveillants à l'égard des criminels (20 % de rejets, contre 50 % aux États-Unis, 48 % en Italie, 42 % au Canada, 35 % en Suède, 28 % en Allemagne, 41 % en Grande-Bretagne). Bref, la *théorie* à trois critères que j'évoque ci-dessus ne permet pas d'expliquer ces différences contextuelles ; mais elle permet de reconstituer une bonne partie de la structure des données par-delà ces différences elles-mêmes.

Examinons l'évolution du taux des réponses *tolérantes,* avec l'âge et le niveau d'instruction.

De manière générale, on constate que *la tolérance tend à être plus grande chez les plus jeunes* ; lorsque ce n'est pas le cas, il y a quasi-égalité entre groupes d'âge. Ainsi, en France, les drogués sont rejetés par 51 % des 50 ans ou plus et seulement par 39 % des 16-29 ans. On observe la même évolution en Italie, au Canada, en Allemagne ou en Grande-Bretagne, une stabilité des taux aux États-Unis (77 %) et une quasi-stabilité en Suède (65 % pour les 5 ans ou plus, 69 % chez les 16-29 ans). S'agissant des malades du sida, le rejet est moins fréquent et partout décroissant chez les jeunes. S'agissant des homosexuels, il en va de même : la tendance au rejet est décroissante ; elle est sensiblement plus faible chez les jeunes. Mais ce qui frappe surtout, c'est le *haut niveau relatif du rejet des drogués.*

Considérant maintenant le niveau d'instruction : dans tous les cas (sauf quelques exceptions sur lesquelles je vais revenir), *la tolérance à la différence est croissante avec le niveau d'instruction.* En France, en Italie, en Allemagne, au Canada, en Grande-Bretagne, aux États-Unis, on accepte d'autant plus facilement un voisin criminel qu'on est d'un niveau d'instruction plus élevé. Il en va de même s'agissant des autres caractéristiques : autre race, Musulmans, étrangers, homosexuels, Juifs. Le rejet des malades du sida baisse chez les plus instruits et chez les jeunes. S'agissant des criminels, le rejet reste plus élevé, mais tend globalement à décroître chez les plus instruits et dans les groupes jeunes. Les drogués font l'objet d'un taux de rejet élevé et qui décroît de manière moins uniforme : ils sont responsables de leur comportement, lequel est porteur de valeur négative. Le cas des sujets émotionnellement instables est plus compliqué parce qu'on peut imaginer – je l'ai dit – que cet état est plus ou moins contrôlable. Peut-être la valeur du contrôle de soi est-elle plus forte aux États-Unis et cela explique-t-il que le taux de rejet y soit plus élevé que dans les autres pays ; mais on y observe la même évolution avec l'âge et le niveau d'instruction qu'ailleurs. Quant aux buveurs, ils sont tolérés avec beaucoup d'hésitation ; le niveau d'instruction ne fait pas de différence ici, sauf en Italie. Le taux de rejet stagne et dans certains cas croît légèrement avec le niveau d'instruction[1].

1. *Rejet de voisins* (% oui) : Musulmans : F : (13 23) (23 11) ; A : (15 24) (24 13) ; GB : (09 23) (18 12) ; S : (18 24) (23 08) ; I : (12 19) (16 11) ; US : (11 18) (18 11) ; C : (08 14) (12 09) ; Juifs : F : (0310) (10 04) ; A : (05 10) (09 03) ; GB : (03 10) (08 05) ; S : (06 08)

Il est intéressant enfin de considérer ceux qui sont perçus comme *marginaux politiquement.* Ici, la tolérance croît chez les plus jeunes, mais *l'éducation n'entraîne généralement pas un surcroît de tolérance, au contraire.* On estime qu'il y a des opinions inacceptables et que la personne qui y adhère en est responsable ; même si cette différence n'entraîne aucun inconvénient, on préfère éviter le voisinage des extrémistes. Ce qui indique qu'on croit aux valeurs de justesse en matière politique d'autant plus fermement qu'on est plus éduqué[1].

Le rejet croît fortement avec le niveau d'instruction s'agissant de l'*extrême droite* : en France, le taux de rejet passe de 30 à 44 % ; en Allemagne, de

(10 01) ; I : (08 17) (14 08) ; US : (06 06) (07 03) ; C : (04 06) (05 05) ; étrangers : F : (08 18) (18 06) ; A : (14 20) (20 08) ; GB : (06 17) (13 10) ; S : (12 10) (13 04) ; I : (10 20) (16 9) ; US : (07 12) (16 07) ; C : (04 06) (06 04) ; homosexuels : F : (15 34) (31 16) ; A : (23 45) (40 23) ; GB : (21 43) (35 19) ; S : (18 23) (25 09) ; I : (27 52) (42 12) ; US : (40 43) (44 33) ; C : (30 33) (36 23) ; malades du sida : F : (10 22) (19 10) ; A : (18 37) (34 17) ; GB : (13 32) (24 17) ; S : (17 25) (22 12) ; I : (31 54) (46 20) ; US : (27 34) (36 24) ; C : (16 27) (26 15) ; criminels : F : (16 26) (27 14) ; A : (17 37) (31 19) ; GB : (32 53) (42 41) ; S : (36 41) (36 37) ; I : (41 54) (49 39) ; US : (55 51) (54 46) ; C : (36 50) (46 37) ; toxicomanes : F : (39 51) (51 36) ; A : (48 68) (65 46) ; GB : (61 68) (63 56) ; S : (69 65) (64 66) ; I : (49 66) (62 41) ; US : (77 77) (77 80) ; C : (57 66) (60 62) ; personnes émotionnellement instables : F : (16 18) (17 19) ; A : (33 30) (34 21) ; GB : (25 34) (27 36) ; S : (18 16) (17 14) ; I : (30 35) (35 33) ; US : (44 39) (41 46) ; C : (30 27) (25 31) ; buveurs : F : (46 57) (51 49) ; A : (52 72) (66 62) ; GB : (38 61) (47 51) ; S : (50 49) (47 44) ; I : (42 58) (52 36) ; US : (60 60) (59 63) ; C : (48 60) (54 55) ; autre race : F : (06 13) (13 08) ; A : (07 15) (13 03) ; GB : (04 12) (10 06) ; S : (08 08) (09 02) ; I : (09 20) (15 05) ; US : (11 10) (14 06) ; C : (04 05) (06 04).

1. *Rejet de voisins* (% oui) : extrêmistes de gauche : F : (20 29) (22 30) ; A : (42 57) (54 48) ; GB : (21 42) (32 37) ; S : (21 34) (27 20) ; I : (22 36) (31 26) ; US : (23 37) (28 32) ; C : (19 31) (27 28) ; extrêmistes de droite : F : (32 33) (30 44) ; A : (60 62) (58 74) ; GB : (18 33) (24 38) ; S : (26 35) (31 32) ; I : (25 39) (34 27) ; US : (21 36) (28 35) ; C : (17 27) (22 27).

58 à 74 % ; aux États-Unis, de 28 à 35 % ; au Canada : de 22 à 27 % ; mais en Suède, il passe de 31 à 32 % et en Italie, de 34 à 27 %. S'agissant de l'*extrême gauche,* le rejet croît avec l'instruction en France, aux États-Unis, en Grande-Bretagne et au Canada, mais décroît en Allemagne, en Italie et en Suède ; mais ces variations sont faibles et l'on note surtout que *le rejet est partout assez élevé* (par rapport au rejet des différences non politiques) : France : de 22 à 30 % ; Allemagne, de 54 à 48 % ; Grande-Bretagne de 32 à 37 % ; Suède, de 27 à 20 % ; Italie, de 31 à 26 % ; États-Unis : de 28 à 32 % ; Canada : de 27 à 28 %. Ici, le voisin imaginaire est supposé porteur de valeurs négatives témoignant d'un caractère non ascriptif. Les inconvénients du voisinage sont peut-être plus faibles que dans le cas du criminel par exemple, mais le rejet est, dans plusieurs cas, plus vif : sans doute par application du postulat selon lequel le principe de tolérance ne peut s'appliquer aux intolérants. Bien entendu, il faut tenir compte ici de données de caractère contextuel. L'extrême droite était perçue à l'époque de l'enquête plus active en France qu'en Suède, par exemple.

Bref, on peut voir derrière ces données relatives au voisinage imaginaire une application par les répondants de la théorie que j'ai précédemment esquissée. La tolérance croît[1]. Elle est d'autant plus valorisée que le niveau d'instruction est élevé. Mais le principe n'est pas appliqué de manière aveugle. Il est au contraire fortement modulé selon les cas.

1. Des enquêtes plus récentes que celle d'Inglehart devraient pouvoir confirmer ou infirmer cette évolution.

Certains méritent la bienveillance et l'acceptation de leur différence, d'autres moins. Le principe de tolérance s'applique avant tout à ceux dont la différence est perçue comme neutre ou positive, ou à ceux dont la différence est perçue comme négative, mais ascriptive. Il s'applique moins à ceux dont la différence est vue comme acquise, négative et génératrice d'effets externes. Car le voisin imaginaire contredit alors le principe de la dignité de chacun. Il s'applique moins encore à ceux qui portent des valeurs perçues comme négatives. Si l'on postule l'existence de cette matrice de raisonnement, on explique le caractère transnational des structures et des évolutions repérées par l'enquête d'Inglehart : on explique notamment que les drogués, les buveurs ou les extrémistes soient redoutés (ils contredisent des valeurs perçues comme importantes), que les différences ascriptives soient facilement acceptées ou que l'on accepte de subir des effets externes de différences tolérables. Bien sûr, il est possible que certaines des réponses soient insincères : que les répondants aient donné la réponse socialement convenable. Mais ce n'est certainement pas le cas de toutes les réponses. De toute façon, une réponse insincère intéresse le sociologue, dans la mesure où elle traduit la reconnaissance par le répondant de valeurs collectives : même s'il ne les accepte pas toujours du fond du cœur, il en reconnaît l'existence et voit bien l'importance qu'il y a pour lui à les reconnaître.

On mesure incidemment l'intérêt de ce type d'enquête sur le plan de l'information. L'importance du *racisme* en France ou en Allemagne par exemple y apparaît comme sans commune mesure avec ce qu'on pourrait croire eu égard à l'intérêt que les médias accordent à ce thème. De façon générale, cette analyse montre qu'il convient de ne pas confondre l'*opinion publique* avec l'*opinion des médias,* une confusion fréquente chez les hommes politiques : sondages et enquêtes sociologiques sont donc des instruments essentiels de la démocratie. Ils sont les moyens permettant de distinguer l'opinion réelle de l'opinion publique fictive que les médias peuvent donner l'impression de refléter alors que, dans bien des cas, ils reflètent surtout l'opinion de minorités actives.

Les intellectuels liés aux minorités actives ne s'y trompent pas et cherchent occasionnellement à faire passer les sondages pour des instruments de manipulation de l'opinion. Ils peuvent l'être, mais ne le sont certainement pas par essence (Boudon, 2001 *b*).

Autre remarque : on peut faire l'hypothèse que le niveau d'instruction est associé à une conscience plus aiguë des critères sous-jacents aux valeurs ; cette hypothèse est confirmée par le fait qu'on distingue mieux à niveau d'instruction croissant entre critères ascriptifs et non ascriptifs, entre effets externes relevant respectivement de la *rationalité instrumentale* (« autrui peut avoir tels effets sur moi ») et de la *rationalité axiologique* (« j'ai du mal à être tolérant à l'égard de celui qui me paraît ne pas l'être, même si son voisinage ne comporte aucun inconvénient pour moi »).

Ainsi, on observe une tolérance croissante s'agissant des différences, mais cela ne signifie pas qu'on accepte également toutes les différences. Il existe des différences qui sont perçues comme négatives et qui sont moins acceptées, même si elles sont mieux acceptées aujourd'hui qu'hier. On décèle sur ce sujet des hiérarchies identiques d'un groupe d'âge à l'autre, et aussi d'un pays à l'autre. S'il faut être tolérant à l'égard d'autrui, cela ne veut pas dire qu'on s'interdise de le juger.

Ces deux analyses suffisent à conclure que l'univers des valeurs des individus est beaucoup plus structuré qu'on ne le dit parfois. De plus, les structures tendent à se déformer régulièrement mais aussi à se conserver avec l'âge et le niveau d'instruction.

LE POIDS DE L'ÉDUCATION

J'ai introduit plus haut une conjecture : que, toutes choses égales d'ailleurs, l'éducation affine le *sens de la complexité*. Derrière tout jugement de valeur, il y a des systèmes de raisons ; l'éducation permet peut-être – en moyenne du moins – d'être davantage conscient de ces raisons et de leur validité relative ; en absence d'éducation, on risque de se contenter de reproduire sans distance les jugements ambiants. Les données d'Inglehart permettent dans une certaine mesure de confirmer cette conjecture. On l'a d'ailleurs plusieurs fois rencontrée : à un niveau d'instruction plus élevé correspond une conception plus immanentiste et symbolique de la religion, une morale privilégiant la discussion rationnelle et ignorant les interdits et les tabous, une conception modérée et réformiste de la politique, un scepticisme à l'égard des conceptions idéologiques, etc. Mais les données d'Inglehart nous permettent d'apprécier directement l'effet de l'éducation sur ce qu'on peut appeler le sens de la complexité.

Certaines questions offraient indirectement aux répondants la possibilité d'apprécier l'efficacité de certaines mesures souvent proposées pour lutter contre le chômage. Elles évoquent l'éventualité selon laquelle un gouvernement chercherait à résoudre le problème du chômage en excluant du marché du travail certaines catégories de population (femmes, vieux, étrangers). Les réponses traduisent pour partie les préjugés des sujets interrogés. Il existe incontestablement de tels préjugés contre les femmes ou les étrangers. Quoi qu'il en soit, les réponses impliquent aussi un jugement sur le point de savoir *si ces mesures d'exclusion sont des outils efficaces de lutte contre le chômage.*

S'agissant de l'éventualité d'une exclusion des femmes du marché de l'emploi, l'influence du niveau d'instruction est beaucoup plus grande que celle de l'âge. Peut-être cela indique-t-il que les préjugés contre le travail des femmes décroissent lorsque le niveau d'instruction croît, mais sans doute aussi que l'exclusion n'est pas dans l'esprit des répondants une mesure efficace de lutte contre le chômage[1]. Car on observe le même phénomène s'agissant des autres formes d'exclusion et particulièrement de celle des seniors (abaissement de l'âge de la retraite) ; or il est plus difficile dans ce dernier cas, je l'ai dit, de mettre les réponses sur le seul compte des préjugés. Dans tous les cas, le niveau d'instruction joue un rôle plus important que l'âge. De surcroît, les autres variables envisagées par Inglehart (revenu, affinité politique, valeurs matérialistes ou postmatérialistes) jouent un rôle sensiblement plus modeste.

Ainsi, en France, l'abaissement de l'âge de la retraite est approuvé par 46 % des gens de gauche et par 53 % des gens de droite ; la différence est beaucoup moins marquée qu'avec l'éducation : 54 % pour les répondants de niveau d'instruction bas, 34 % pour les répondants de niveau d'instruction élevé. On observe la même tendance pratiquement partout ailleurs. Ainsi, au Canada, 27 % des gens de gauche approuvent la mesure et 31 % des gens de droite ; les pourcentages sont de 44 et de 23 %, selon que le niveau d'instruction est bas ou haut.

Les différences entre pays renforcent la vraisemblance de l'interprétation *cognitiviste,* que je pro-

1. *Lorsque les emplois sont rares,* les hommes ont plus de droit au travail que les femmes (% oui) : F : (23 42) (41 17) ; A : (17 45) (39 15) ; GB : (14 51) (39 22) ; S : (04 14) (14 03) ; I : (24 61) (46 08) ; US : (20 35) (32 16) ; C : (15 27) (31 09) ; les gens devraient être forcés de prendre leur retraite tôt : F : (45 52) (54 34) ; A : (55 47) (53 40) ; GB : (37 50) (48 31) ; S : (10 11) (10 05) ; I : (51 59) (55 47) ; US : (15 19) (20 11) ; C : (27 36) (44 23) ; les employeurs devraient donner la préférence aux nationaux : F : (49 75) (72 47) ; A : (50 70) (71 40) ; GB : (43 60) (56 33) ; S : (36 41) (47 12) ; I : (64 81) (76 44) ; US : (45 62) (58 46) ; C : (53 53) (62 43).

pose. Le rejet de la politique d'exclusion des femmes, des travailleurs âgés ou des immigrants est beaucoup plus marqué aux États-Unis qu'en France ou en Allemagne. Cela ne provient certainement pas du fait que les Américains seraient davantage hostiles à l'exclusion de ces catégories. Une telle hypothèse est incompatible notamment avec les données relatives aux relations entre voisins. Cela provient plutôt sans doute du fait que la connaissance des mécanismes économiques de base est plus répandue aux États-Unis : on y voit donc mieux que l'hypothèse selon laquelle on peut réduire le chômage en excluant du marché du travail telle ou telle catégorie n'est pas automatiquement vérifiée. La croyance en l'efficacité de l'exclusion de certaines catégories sociales sur la réduction du chômage est en effet une conséquence logique de la représentation simpliste qui voit la masse totale des emplois comme un gâteau fini : dès lors qu'on a cette représentation en tête, on conclut que, si l'on écarte certaines catégories de convives, on peut en servir d'autres. Réciproquement, si l'on croit à l'efficacité de l'exclusion, c'est selon toute vraisemblance qu'on assimile la masse des empois à un gâteau fini. Cette théorie est simpliste, car elle n'est vraie que si l'on suppose réalisées toutes sortes de conditions restrictives. Ce n'est pas parce qu'on exclut un travailleur qu'on met mécaniquement un chômeur sur le marché du travail. Le chef d'entreprise peut en effet profiter de cette exclusion pour augmenter sa productivité, en remplaçant l'homme par la machine ; si les femmes sont exclues, les hommes peuvent exiger des salaires plus élevés, etc. Bref, le fait que l'exclusion soit plus souvent repoussée aux États-Unis qu'en France ou en Allemagne s'explique sans doute surtout parce que la connaissance des mécanismes économiques et en tout cas la conscience de leur complexité est plus forte aux États-Unis.

Cette conjecture est à rapprocher du fait, mis en évidence par Forsé (1999), selon lequel l'Espagne est en Europe le pays où le libéralisme économique est le moins admis. Il est aussi celui où les réponses favorables à l'exclusion pour résoudre le problème du chômage sont parmi les plus fréquentes (62 % s'agissant de l'abaissement de l'âge de la retraite, contre 49 % en France et 16 % aux États-Unis ; 75 % pour la préférence nationale, contre 63 % en France et 51 % aux États-Unis).

J'ai proposé ailleurs (Boudon, 2001 *b*) une hypothèse permettant d'expliquer une autre caractéristique importante des données que j'examine ici : toutes choses égales d'ailleurs, la limitation de l'immigration est plus fréquemment choisie que l'abaissement de l'âge de la retraite. On peut expliquer cette différence par la présence de considérations de caractère axiologique dans l'esprit des répondants : en effet, la première mesure ne comporte pas de rupture de contrat et se borne à *refuser* un contrat de travail à des candidats à l'immigration, alors que la seconde implique une rupture de contrat. Si l'on croit à l'efficacité des mesures d'exclusion dans la lutte contre le chômage, les restrictions à l'immigration sont donc plus facilement acceptables que la diminution de l'âge de la retraite. Les réponses concernant l'abaissement de l'âge de la retraite et la limitation de l'immigration résultent donc sans doute d'une combinaison de considérations morales et de croyances relatives aux processus économiques. Mais on peut faire en tout cas l'hypothèse que le sens de la complexité – ici : de la complexité des mécanismes économiques –, entre aussi en jeu de façon décisive dans les réponses à l'une et à l'autre questions.

Si tel est le cas, il faut se réjouir de l'augmentation du niveau d'instruction qui caractérise les sociétés occidentales. Il produit peut-être une élévation du sens de la complexité, du réalisme et de l'esprit critique.

EN BREF

Je n'ai naturellement pas analysé ici toutes les questions posées par Inglehart. Si l'on résume sommairement les conclusions à tirer de celles qu'on vient d'examiner et si l'on accepte l'interprétation *dynamique* que je propose ici de données relevant de la *statique comparative,* on relève un certain nombre de tendances. L'on demande une participation politique grandissante du citoyen à la vie politique. L'on considère de plus en plus la politique comme une chose trop sérieuse pour être confiée aux politiques. L'on croit de moins en moins au grand soir, et l'on veut de bonnes réformes plutôt que des changements brutaux. L'on discute davantage l'autorité ; l'on a une attitude plus critique à l'égard des règles et des dogmes ; l'on tend à avoir une interprétation immanentiste de la religion, à rejeter les interdits et les tabous. L'on exige davantage de responsabilité et d'initiative ; l'on est loin d'être intéressé surtout par les rémunérations matérielles du travail ; l'on veut un travail intéressant qui permette de se réaliser. L'on attache beaucoup d'importance à la famille. Le respect d'autrui représente une et peut-être *la* valeur morale fondamentale, ce qui n'implique pas qu'on accepte n'importe quel comportement. L'on repousse les individus perçus comme porteurs de fausses valeurs, ou qui nient la dignité de la personne dans leur comportement à l'égard d'eux-mêmes. L'on croit à la dignité de la personne. Tel est, *grosso modo,* le tableau des conclusions qu'on peut tirer de l'analyse secondaire particulière à laquelle j'ai soumis les données occidentales du *Sourcebook* d'Inglehart.

Si l'on devait résumer ce tableau d'un seul mot, il traduit une affirmation de l'*individualisme,* de la recherche de l'autonomie individuelle, et aussi, du sens de l'autonomie. À la question interrogeant les répondants sur le point de savoir s'ils pensent contrôler leur vie, les réponses positives croissent chez les plus jeunes et chez les plus instruits[1].

1. *Impression de disposer de la liberté de choix et du contrôle de sa vie* (% oui) : F : (47 40) (42 55) ; A : (69 62) (60 67) ; GB : (67 61) (62 72) ; S : (81 65) (64 81) ; I : (67 40) (50 65) ; US : (80 76) (76 81) ; C : (81 72) (70 82).

Il y a affirmation de l'individualisme au sens où le bonheur de l'individu apparaît plus fortement comme la référence suprême chez les plus jeunes et chez les plus instruits. Mais cet *individualisme* n'est en aucune façon un *solipsisme.* Il n'implique pas que tous les comportements soient perçus comme équivalents, et qu'on s'interdise de les juger. Au contraire, certains comportements sont perçus comme plus justifiés que d'autres. Et l'on peut repérer au fondement de ces justifications des principes plus ou moins stables. On a mis en évidence toutes sortes de structurations des croyances des répondants en matière de valeurs : ces structurations s'expliquent parce que les croyances en question sont fondées sur des raisons collectivement partagées. On a été frappé aussi par le caractère continuiste des changements observés du groupe d'âge ancien au groupe d'âge jeune.

On est donc loin de l'impression qu'ont certains de l'affaissement des valeurs et de la morale. On ne voit pas que les sujets se sentent davantage aliénés aujourd'hui qu'hier, ni qu'ils se perçoivent comme de *petits dieux* (deux *lamentos,* fréquents). On ne perçoit pas de cassure entre ceux qui avaient vingt ans il y a trente ans et ceux qui ont vingt ans maintenant : entre ceux qui ont vécu l'essentiel de leur vie dans la société industrielle et ceux qui ont été élevés dans la société postindustrielle. On ne voit pas non plus le retour de Dieu qui, depuis la prophétie apocryphe de Malraux, fait de temps en temps la couverture des hebdos. On observe surtout dans l'ensemble des sociétés occidentales une évolution dans le sens de ce que, à la suite de Weber, on peut qualifier de la *rationalisation des valeurs.*

OUTILS POUR UNE INTERPRÉTATION GLOBALE DE CES PHÉNOMÈNES

D'où proviennent ces changements très structurés et convergents d'un pays occidental à l'autre qu'on vient de relever ? Il semble que l'on peut s'inspirer des sociologues classiques, et notamment de Durkheim et de Weber, pour proposer une explication de ces évolutions.

L'INDIVIDUALISME : UNE PHILOSOPHIE OBLIGATOIRE

Durkheim (1960 [1893], p. 146) écrit dans *De la division du travail social* : « L'individualisme, la libre pensée ne datent ni de nos jours, ni de 1789, ni de la réforme, ni de la scolastique, ni de la chute du polythéisme gréco-romain ou des théocraties orientales. C'est un phénomène qui ne commence nulle part, mais qui se développe, sans s'arrêter tout au long de l'histoire. »

On a l'habitude de lire Durkheim comme un auteur qui aurait vu dans l'individualisme – une doctrine à laquelle on prête alors le statut d'une simple philosophie particulière – une conséquence de l'augmentation de complexité des systèmes sociaux et qui l'aurait fait commencer avec le protestantisme. Le texte que je viens de citer conduit à nuancer considérablement cette lecture au point de la contredire. Il est vrai que certains facteurs, comme l'augmentation de la division du travail, en favorisant la diversification des rôles sociaux et des compétences, ont contribué à renforcer le sentiment de la différence entre Moi et l'Autre et par là à renforcer – plus exactement à *révéler* (au sens photographique) – l'individualisme inhérent à chaque être humain. Il est vrai que le protestantisme témoigne indirectement de l'affirmation de l'individualisme : en affirmant la liberté de conscience du croyant, il exprime, sur un plan théologique, le fait que le développement de la division du travail a accru chez l'individu la conscience de sa singularité.

Mais, précise Durkheim de façon aussi claire que possible, l'individualisme est un phénomène qui *ne commence nulle part, mais qui se développe, sans s'arrêter tout au long de l'histoire.*

Cela veut dire que l'individu a toujours en tant que tel représenté le point de référence privilégié, sinon unique, voire obligé, à partir duquel il est possible de juger de la pertinence des normes ou de la légitimité des institutions, au sens le plus large de ce dernier terme : qu'il s'agisse des normes tacites auxquelles se soumettent les petits groupes de rencontre, des normes prenant la forme de décisions collectives officielles associées à un pouvoir de coercition (les *lois*), ou de tous les cas intermédiaires.

Ainsi, dans toutes les sociétés, y compris les plus archaïques, les institutions de niveau sociétal – celles qui concernent la société dans son ensemble – ne peuvent pas ne pas être jugées par les individus comme plus ou moins légitimes selon qu'elles leur donnent ou non le sentiment de respecter leur dignité. Popkin (1979) a parfaitement démontré par son analyse des constitutions des sociétés villageoises traditionnelles du Sud-Est asiatique, dont il affirme justement qu'elle s'appliquerait tout autant aux sociétés villageoises africaines, que ces constitutions ne peuvent être comprises que si l'on voit qu'elles visaient à respecter au mieux les intérêts de chacun (Boudon, 2002).

Cet objectif s'est, bien sûr, trouvé en permanence contrarié par les « forces historiques » qu'évoque Weber.

Exemple n° 1 : les Grecs ont établi des institutions qu'ils voulurent respectueuses de la dignité du citoyen, mais ils estimaient l'esclavage légitime, car ils étaient convaincus de son intérêt fonctionnel pour la société dans son ensemble ; Aristote ne concevait pas qu'une société puisse se passer d'esclaves. Aujourd'hui, l'esclavage a été aboli à peu près partout, mais il réapparaît par l'action de « forces historiques », sous des formes cruelles (la prostitution infantile du Sud-Est asiatique) ou douces : dans les sociétés *duales* d'Amérique latine, le plus insignifiant des parvenus pense, bien souvent, ne pas pouvoir se passer d'une nuée de domestiques, qu'il traite avec morgue ou condescendance. Mais ces résurgences de l'esclavagisme demeurent clandestines ou inavouées, car la dévaluation de l'esclavage s'est irréversiblement imposée.

Exemple n° 2 : la validité du principe de la séparation des pouvoirs et généralement de l'organisation démocratique du pouvoir n'est plus guère remise en doute ; mais on a longtemps cru – et l'on croit toujours dans de nombreux pays – que l'ordre social et la paix civile ne peuvent être assurés que par un pouvoir fort, concentré, despotique, ignorant ou minimisant ce principe, et par suite peu respectueux du droit des personnes. Même dans les nations démocratiques, on observe facilement que le politique découvre toujours de bonnes raisons de borner le pouvoir du judiciaire : alors que se déploie une criminalité organisée de plus en plus mondialisée, la communication et la collaboration judiciaires entre les États démocratiques restent soumises à des règles tatillonnes. Hume (1972 [1741], p. 187) était convaincu, dès le milieu du XVIIIe siècle, que les raisons fondant le principe de la séparation des pouvoirs avaient la force de l'évidence et que celui-ci ne pouvait que s'imposer (« *La balance du pouvoir* n'est plus un mystère : il était réservé à nos temps de la développer pleinement »). Il ignorait l'importance des « forces » émanant notamment des corporatismes divers (voir par exemple les coûts collectifs imposés à la France d'aujourd'hui par le corporatisme syndical, auquel seule la CFDT paraît actuellement échapper). Il ne voyait pas que les intellectuels cultivent souvent leur visibilité de préférence à la vérité ou que les politiques n'hésitent pas à œuvrer en sens opposé à l'intérêt général s'il en va de leur siège ou de leur maroquin.

Mais les « forces historiques », précisément parce qu'elles sont aveugles, peuvent aussi agir dans le bon sens : il semble que les épouvantables attaques terroristes du 11 septembre 2001 contre New York aient contribué à améliorer la collaboration policière et judiciaire entre États démocratiques, s'agissant du moins de la lutte contre le terrorisme.

Exemple n° 3 : le burqa et généralement le régime dégradant naguère imposé par les talibans aux femmes était-il accepté par l'ensemble des femmes musulmanes ? Si les femmes portent le burqa dans les villes du nord de l'Afghanistan, c'est qu'elles craignent les sanctions des migrants traditionalistes en provenance des zones rurales, non qu'elles approuvent cette contrainte. Des « forces historiques » expliquent que ces institutions choquantes subsistent. Mais elles ne font ni qu'elles soient acceptées, ni bien sûr qu'elles ne soient généralement jugées condamnables. Quoi qu'en dise Huntington (1996), l'individualisme n'est pas une valeur caractéristique de la seule société occidentale et qui se serait développée à partir du XIVe siècle. Ce qui s'est développé à partir du XIVe siècle, ce sont des *institutions* permettant à l'individualisme de se manifester, non l'individualisme lui-même. La *libido sciendi* serait-elle propre à la civilisation occidentale et daterait-elle de la fin du XVIIIe siècle sous prétexte que c'est seulement à ce moment et en Europe que les grandes disciplines scientifiques s'institutionnalisent ?

Ce que Durkheim entend souligner, c'est donc, non que la dignité de l'individu a toujours prévalu dans la réalité, mais que l'individu a toujours eu le sens de la défense de sa dignité et de ses intérêts, que ce sentiment constitue la toile de fond sur laquelle se déroule l'histoire des institutions et sans doute l'histoire tout court ; plus : *que la dignité de l'individu est le critère ultime de la légitimité de toute norme, de quelque niveau qu'elle soit, microscopique ou sociétal* ; l'individu a poursuivi de tout temps – comme Aristote, Pascal et à peu près tous les philosophes l'ont indiqué – l'objectif d'avoir « longue vie et bonheur sur la terre » ; il a toujours évalué les institutions sociales – au sens large du terme – à l'aune de cet objectif. C'est en ce sens que, comme l'affirme ce texte essentiel de Durkheim, l'individualisme est une dimension permanente de l'histoire humaine. Sans doute s'est-il *affirmé* sous l'action de facteurs soit *structurels* (comme la croissance de la division du travail), soit *contingents,* ces derniers devant pour partie leur influence à leur rencontre avec ces facteurs structurels (comme le montre l'exemple de la réforme protestante). Mais son origine est intemporelle. Car l'*individu* est le point d'évaluation d'où sont jugées toutes choses. Durkheim a toujours été impressionné par la pensée de Kant. En déclarant que l'individualisme ne commence nulle part, il indique que les effets des institutions (au sens large) sur les individus représentent le seul point de vue qu'on puisse adopter pour les apprécier. Ce faisant, il pose un *a priori,* plus acceptable sans doute que ceux que

Kant avait placés au fondement du jugement moral.

Cela ne veut pas dire que l'individu ait été immédiatement constitué en *personne*. Cette évolution ne s'est au contraire produite qu'au fil d'un long processus, qui s'est lui-même trouvé facilité ou retardé par toutes sortes de données structurelles, de contingences et d'innovations. La notion même de *personne* est bien sûr une innovation majeure. Elle correspond à une étape importante dans le développement continu qu'évoque Durkheim.

Avec d'autres mots et dans un tout autre style, Max Weber dira à peu près la même chose que Durkheim. Commentant un passage de l'*Épître au Galates* où Paul réprimande Pierre parce que, ayant vu arriver des Juifs, ce dernier avait cru devoir s'écarter d'un groupe de Gentils avec lesquels il était attablé, Max Weber déclare qu'il faut voir dans cette anecdote un épisode capital de l'histoire de l'Occident. Elle « sonne l'heure de la citoyenneté en Occident », a-t-il écrit. Pierre n'avait pas osé rester assis avec les Gentils à l'apparition d'un groupe de Juifs et manifester ainsi que Gentils et Juifs, malgré la différence de leurs croyances, étaient les uns et les autres tout autant porteurs de la dignité humaine. En condamnant son attitude, Paul lance l'idée que tous les hommes doivent pouvoir s'asseoir à la même table ; qu'ils ont une égale dignité ; qu'un ordre politique légitime doit reconnaître cette égale dignité ; bref, qu'il s'agit de traiter tous les *individus* comme des *personnes* et qu'une condition nécessaire pour qu'ils soient traités comme des personnes est qu'ils soient traités comme des *citoyens*. La réalisation de cette idée, ajoute Weber, était appelée à occuper toute l'histoire de l'Occident.

L'histoire des institutions politiques, l'histoire des religions, l'histoire de la morale est en d'autres termes celle d'un *programme* diffus : définir des institutions, des règles, etc. destinées à respecter au mieux la dignité de la personne. Dès le Ier siècle, nous dit Weber, la réalisation de ce *programme* fait une avancée majeure grâce à la création de la notion d'une citoyenneté étendue à tous.

L'individualisme dont parle Durkheim est de tout temps. Mais, avec l'*Épître aux Galates*, il est affirmé sous la forme du principe de commensalité. Le principe de commensalité annonce le principe de citoyenneté. La notion de personne fonde celle de citoyen.

Pour comprendre la pensée de Weber, qui, comme celle de Durkheim, a donné lieu à bien des malentendus, on peut comparer l'histoire de la morale à celle de la science (Boudon, 2000, chap. 5). La science naît d'un programme vague : *décrire le réel tel qu'il est*. La valeur de ce programme est indémontrable, car les valeurs *ultimes* sont par principe indémontrables : une évidence que souligne la célèbre conférence de Weber sur *Le savant et le politique* (et dont de malencontreux commentaires ont souvent par contresens tiré des conclusions relativistes). Ce programme une fois posé (si l'on peut dire, car, comme l'individualisme, *il est de tout temps*), il a commencé de se réaliser et continue de se réaliser tous les jours.

De même, l'histoire de la morale (au sens large où elle traite autant des institutions de la cité que des relations privées entre personnes) est celle de la réalisation d'un programme : *concevoir des institutions (au sens large) permettant d'assurer au mieux le respect de la dignité de l'individu et de ses intérêts.* La validité de ce programme n'est pas davantage démontrable que celle du programme que représente la science. Et ledit programme est tout aussi vague : qu'est-ce au juste que « le réel » que la science cherche à atteindre ? Qu'est-ce que « la dignité de la personne » ? Les deux projets sont donc de *validité indémontrable,* et ils sont tout aussi *vagues* l'un que l'autre. Ils sont même *nécessairement* vagues, peut-on ajouter, puisque définis par une idée directrice qui comporte l'exigence d'en préciser le sens. Mais ils sont omniprésents. Toujours inachevés, ils guident discrètement l'activité humaine dans toutes ses facettes. C'est le premier programme qui explique notamment les succès du *christianisme* ou, bien après et dans une tout autre conjoncture politique, sociale, intellectuelle et économique, du *socialisme,* ainsi qu'un Simmel (1984 [1892], 1987 [1900]) l'a fort bien souligné : tout différents qu'ils soient, ces deux mouvements d'idées ont en commun de devoir leur influence à ce qu'ils ont été perçus comme s'inscrivant dans ce programme.

On peut percevoir facilement comme contradictoire le fait qu'un *programme* inclue parmi ses articles sa propre définition. Cette idée fait immédiatement surgir à l'esprit des paradoxes classiques. On ne saura jamais si le coiffeur de tous les coiffeurs qui ne se coiffent pas eux-mêmes se coiffe ou ne se coiffe pas lui-même. En fait, le cas du *programme* qui consiste entre autres à se définir lui-même est parfaitement banal, même s'il peut passer pour curieux d'un point de vue logique. Des programmes de lutte contre le chômage ou contre l'exclusion sont couramment lancés, alors même qu'on ne sait pas précisément définir ni le chômage ni l'exclusion et qu'on ne sait pas très bien jusqu'à quel point et avec quels moyens on peut efficacement *lutter* contre ces maux sociaux. Le mot *lutte* lui-même est évidemment une métaphore plutôt qu'un concept : cela suffit à indiquer son imprécision. Les figures de ce type – où l'on voit qu'une idée ne peut se préciser qu'en se réalisant et réciproquement – est à l'origine de la conception hégélienne de la dialectique. Ces figures permettent de comprendre que l'histoire des idées soit animée par un mouvement interne et qu'elle soit le lieu de maintes irréversibilités.

La seconde *Démocratie* de Tocqueville anticipe jusqu'à un certain point les intuitions de Durkheim et de Weber. L'égalité est une « passion générale et dominante ». Ce qui veut dire que l'égale dignité de tous est une idée directrice commune à tous les esprits. Certes, cette idée ne s'est imposée que lentement, avec l'apparition des sociétés démocratiques. Les sociétés aristocratiques qui les précèdent établissaient au contraire des distinctions entre les citoyens. Mais c'est la « Providence » qui a voulu, déclare Tocqueville, que ces distinctions soient perçues comme illégitimes, qu'elles disparaissent, et que l'histoire des sociétés modernes se structure autour d'une demande d' « égalité » de plus en plus affirmée.

« Au temps de leurs plus grandes lumières, les Romains égorgeaient les généraux ennemis, après les avoir traînés en triomphe derrière un char, et livraient les prisonniers aux bêtes pour l'amusement du peuple. Cicéron, qui pousse de si grands gémissements à l'idée d'un citoyen mis en croix, ne trouve rien à redire à ces atroces abus de la victoire. Il est évident qu'à ses yeux un étranger n'est point de la même espèce humaine qu'un Romain » (Tocqueville, 1986 [1845], 542). Il en va de même dans la France du XVIIe siècle. Mme de Sévigné écrit à sa fille que « la penderie [lui] paraît un rafraîchissement », car, de son temps, on « ne concevait pas clairement, dit Tocqueville, ce que c'était que de souffrir quand on n'est pas gentilhomme » (*ibid.*, 541). Les sociétés « démocratiques » se caractérisent au contraire par le fait que « le droit des gens s'adoucit » (*ibid.*, 541).

Tocqueville lui-même a l'impression que cette évolution représente une « décadence », car elle s'accompagne d'une « uniformité universelle ». Mais, ajoute-t-il aussitôt, elle est en fait un « progrès » : « Ce qui me semble une décadence est à ses yeux [aux yeux de Dieu] un progrès ; ce qui me blesse lui agrée ; l'égalité est moins élevée peut-être, mais elle est plus juste, et sa justice fait sa grandeur et sa beauté » (*ibid.*, 658). C'est pourquoi « les nations de nos jours ne sauraient faire que dans leur sein les conditions ne soient pas égales » (*ibid.*, 659).

Tocqueville n'a dans cette analyse ni la profondeur ni sans doute la justesse de Weber ou de Durkheim. Il se contente d'attribuer cette évolution à des mécanismes psychologiques sommaires, en vertu desquels l'accroissement de l'égalité entre des hommes différents tendrait à faire naître l'idée de l'unité du genre humain ; mais il ne parvient pas à expliquer l'installation de la valeur de l'égalité : « Quand les rangs sont presque égaux, tous les hommes ayant à peu près la même manière de penser et de sentir, chacun d'eux peut juger en un moment des sensations de tous les autres (...) Il n'y a donc pas de misère qu'il ne conçoive sans peine » (*ibid.,* 541). Ainsi, l'égalité produirait la sympathie et la sympathie la *bienveillance universelle* ; mais il paraît à Tocqueville difficile de comprendre pourquoi l'égalité est devenue une « passion générale et dominante » : en langage moderne, pourquoi elle est devenue la *valeur centrale* des sociétés modernes (car, faute de disposer de la notion de *valeur* au sens où, à la suite de Nietzsche, nous l'employons aujourd'hui, Tocqueville doit se satisfaire de l'expression de « passion générale »). C'est sans doute parce qu'il n'est guère satisfait lui-même de son analyse que, tout en admettant que cette évolution est sûrement le fait de la volonté de la Providence, Tocqueville déclare en même temps ne pas en voir le sens. Il en perçoit clairement l'irréversibilité, mais avoue ne pas bien en percevoir les raisons d'être.

Selon Durkheim et Weber, il faut voir dans cette évolution, je l'ai dit, la réalisation d'une idée générale : du programme diffus défini par l'idée directrice à laquelle nous associons aujourd'hui la notion d'*individualisme*.

« Nous avons pour la dignité de la personne, écrit Durkheim (1960 [1893], 147), un culte qui comme tout culte fort a déjà ses superstitions. » Weber aurait pu signer la même phrase. La dignité de la personne est la notion qui traverse toute l'histoire de l'Occident. Mais cette idée est plus ou moins clairement posée. Et le fait qu'elle soit ou non clairement posée dépend de facteurs structurels, mais aussi de contingences et d'innovations. Ceux-ci affectent d'ailleurs non seulement la *conscience* de cette idée, mais sa *réalisation* même. Rien n'indique donc qu'il ne puisse y avoir de retours en arrière. L'histoire nous offre au contraire de nombreuses illustrations de ces régressions. Mais le programme défini par la notion de la dignité de la personne est en même temps soumis à un processus que Weber qualifie de « rationalisation diffuse » *(Durchrationalisierung)*. Il est essentiel pour expliquer que certaines idées s'installent de façon irréversible dans l'esprit du public. C'est cette rationalisation qui explique que, comme le déclare Durkheim, l'individualisme « se développe, sans s'arrêter tout au long de l'histoire ».

LA SÉLECTION DES IDÉES

La notion de *rationalisation* désigne simplement ici le processus par lequel, étant donné un projet ou un programme, on choisit des moyens plus appropriés – si bien sûr on les a trouvés – que ceux qu'on utilisait jusque-là pour atteindre les objectifs définissant le projet ou le programme. Elle désigne en même temps l'effort fait pour préciser la nature du programme. On la voit à l'œuvre de la façon la plus visible dans la science, dont les progrès dépendent de circonstances extérieures et de données structurelles, mais qui est aussi animée par un processus endogène de *rationalisation diffuse* : elle cherche constamment à imaginer des moyens permettant de mieux respecter son programme : mieux comprendre le réel ; en expliquer *plus*, l'expliquer *mieux*.

Ce processus de rationalisation caractérise, selon Weber, tout autant l'histoire du *droit*, de la *morale* ou de la *religion* que celui de la *science* (Boudon, 2000, chap. 5, 2001 *c*). Cela ne veut pas dire évidemment qu'il n'y ait pas de différences entre ces activités mentales : la science pose comme principe que tous ses éléments peuvent être soumis à la critique, alors que la religion se distingue par ce qu'elle met au contraire certains de ses éléments à l'abri de toute critique. La seconde s'autorise à expliquer le monde par des forces surnaturelles ; la première se l'interdit. Mais les procédures de vérification, d'information, de généralisation, de simplification, etc. caractéristiques de la pensée scientifique, définissent aussi la pensée religieuse ou juridique.

Le *droit* tente de créer des systèmes de normes aussi efficaces que possible et compatibles entre elles, aussi adaptées que possible aux demandes des individus telles qu'on peut les percevoir et ayant vocation à être considérées comme légitimes ; car des règles perçues comme illégitimes sont sources de tensions et de conflits. Cette rationalisation peut bien sûr produire des *effets indésirables.* Ainsi, on constate, pour prendre un exemple contemporain, que les sociétés occidentales – et la société française en particulier – sont actuellement affligées par une inflation législative (Busino, 1996). Dès qu'un groupe doté d'un certain pouvoir de chantage émet une protestation, on soumet une nouvelle loi au Parlement pour tenter de répondre à sa demande. Souvent hâtivement conçue, la nouvelle loi crée parfois plus de problèmes qu'elle n'en résout : elle abaisse provisoirement la température sociale, mais au prix d'effets secondaires douloureux qui n'apparaissent qu'à long terme.

La *théorie politique* mise en œuvre dans la construction des institutions est également soumise à ce processus de rationalisation. Ainsi, le principe de la *séparation des pouvoirs* (comme on dit aujourd'hui) ou de la *distribution des pouvoirs* (comme disait Montesquieu) dessine une organisation politique visant à garantir les droits du citoyen. Il s'est difficilement imposé. L'histoire de l'installation de la séparation des pouvoirs n'est pas terminée, même dans les démocraties les mieux implantées. La France d'aujourd'hui ne veut toujours pas reconnaître l'existence d'un « pouvoir » judiciaire : les constituants de 1958 ayant craint qu'un « pouvoir » judiciaire ne fragilise l'État, ils avaient en effet décidé de ne doter le judiciaire que d'une « autorité ». Mais, malgré ces résistances, la validité de *l'idée* de la séparation des pouvoirs s'est irréversiblement imposée. Comme les idées scientifiques, elle a fait l'objet d'une sélection rationnelle. Elle a été retenue, parce qu'elle permet au pouvoir de s'exercer, non pas *moins*, mais *plus* efficacement : donnant des garanties au citoyen contre les abus que l'État peut être tenté de commettre, elle affirme la dignité du citoyen et rend le pouvoir qui s'exerce sur lui plus acceptable. Il en va de même du parlementarisme, du suffrage universel et de l'ensemble des institutions fondamentales de la démocratie : elles ont été sélectionnées de façon irréversible, parce qu'il apparaît incontestable qu'elles ont eu pour effet de canaliser et d'adoucir les conflits sociaux et politiques, de réduire la violence publique, d'augmenter les chances que le droit du citoyen à la paix civile soit effectivement garanti, de faciliter la production des richesses et d'augmenter le niveau de vie.

Mais, répétons-le, pendant longtemps, cette vérité n'a pas été immédiatement reconnue et elle est loin de l'être partout aujourd'hui. Dans beaucoup de nations règne encore une théorie implicite du pouvoir politique s'inspirant de Bodin (le pouvoir politique ne peut être efficace que s'il est concentré) plutôt que de Montesquieu (le pouvoir politique est efficace s'il obéit au principe de la « coordination des puissances »).

D'autre part, il faut de nouveau souligner que l'irréversibilité des *idées* relatives aux institutions n'implique pas nécessairement celle des *institutions* elles-mêmes. Que le pouvoir à la Montesquieu soit préférable à un pouvoir à la Bodin est une vérité reconnue par la plupart des esprits dans le monde occidental. Il ne s'ensuit pas que des « forces historiques » ne puissent y détruire les institutions démocratiques. On constate facilement au contraire que, dès que les démocraties sont assaillies par des difficultés économiques, sociales et politiques, tendait, naguère encore, à y réapparaître la tentation du « pouvoir fort ». Le temps où la quasi-totalité de l'Amérique latine était gouvernée par des *caudillos* n'est pas si éloigné.

Ce n'est pas obéir à l'*ethos* scientifique que de proposer une vision déterministe du changement social, c'est au contraire le trahir, puisque la *contingence* est une composante du réel et que l'*ethos* scientifique n'impose peut-être pas d'autre règle fondamentale que celle de respecter le réel. Mais on peut concéder sa place à la contingence et reconnaître le phénomène de l'irréversibilité des idées.

Le processus de rationalisation des idées est lent parce qu'il est complexe. La source de l'irréversibilité d'une nouvelle idée – de la séparation des pouvoirs et de mille autres – réside simplement dans le fait que, lorsque des idées concurrentes sont présentes sur le marché, c'est la meilleure du point de vue des objectifs poursuivis qui tend à l'emporter. On observe facilement ce processus dans le cas de la *science*. La théorie du baromètre de Pascal – plus exactement, la théorie proposée par Pascal de la montée du mercure dans un tube renversé où a été fait le vide – l'a définitivement emporté sur les explications d'inspiration aristotélicienne, car il est plus facile d'accepter que le mercure monte dans le tube du baromètre sous l'effet du poids de l'atmosphère que parce que la nature a horreur du vide. De surcroît, la théorie de Pascal explique que le mercure ne monte pas au même niveau en haut et en bas d'une tour, ce que la théorie de l'horreur du vide n'explique pas. On observe aussi facilement le même type de processus dans le domaine de l'*axiologique.* C'est en vertu de ce processus que le principe de la séparation des pouvoirs l'a définitivement emporté sur la théorie selon laquelle seul un pouvoir concentré peut être efficace, que l'on tend à percevoir les régimes totalitaires, voire les régimes simplement autoritaires, comme des survivances ou des archaïsmes, que les despotismes communistes, tenant à se présenter comme des approfondissements de la démocratie, se décorèrent du titre de *démocraties populaires.*

Les irréversibilités qu'on observe dans les *idées* relatives notamment au droit et à la philosophie politique proviennent en partie de ce que rationalité axiologique et rationalité instrumentale sont organiquement liées. En termes plus simples, un système de raisons conduisant à la conclusion et par suite à la croyance que « X est *bon, juste, légitime,* etc. » comprend toujours des propositions factuelles à côté de propositions normatives. Or les propositions factuelles sont testables, par exemple lorsqu'elles affirment l'efficacité de tel moyen pour atteindre tel objectif. Ici, la rationalité instrumentale se glisse dans le raisonnement : elle évoque des arguments techniques. Or la technique (au sens large) est susceptible de progrès en un sens dépourvu d'équivoque, comme le souligne Weber (Leca, 2001, 99).

Mais si les processus de rationalisation à l'œuvre dans le domaine de l'axiologique peuvent être comparés à ceux qu'on observe dans le domaine de la connaissance, les débats relevant de l'axiologique, de la morale, ou de la théorie politique se font, non dans le silence des cabinets, mais dans le bruit et la fureur.

Il faut encore souligner une autre similarité essentielle entre les processus de rationalisation à l'œuvre dans la recherche du *vrai* et dans la recherche du *juste*.

Cette similarité est la suivante. Il n'existe pas de critères *généraux* permettant de décider qu'une théorie est *bonne*, mais seulement des critères *particuliers* – variables d'un cas à l'autre – permettant de décider qu'une théorie est *meilleure* qu'une autre. Ceux qui recherchent des critères généraux de la *vérité*, a écrit Kant dans un passage trop peu fréquemment relevé de sa *Critique de la raison pure*, rappellent l'histoire de ces deux imbéciles dont le premier cherchait à traire un bouc, tandis que le second tenait un seau sous le ventre de l'animal. On peut préciser : il n'existe pas de critères *absolus*, mais seulement des critères *relatifs* permettant – dans certains cas – d'affirmer que telle théorie est préférable à telle autre. Les critères qui permettent de préférer la théorie du baromètre de Pascal aux théories d'inspiration aristotélicienne sont irrécusables ; mais ils ne sont pas les mêmes que ceux qui permettent de préférer la théorie de la lumière de Fresnel à celle de Descartes.

Il en va de même des critères du *juste* et des autres valeurs : une proposition qui, elle, nous éloigne complètement du Kant de la *Critique de la raison pratique.* Quand une idée est sélectionnée de manière irréversible, c'est qu'elle apparaît meilleure que ses concurrentes ; et elle est *meilleure* (c'est-à-dire selon les cas : plus *vraie,* plus *légitime,* plus *juste,* plus *utile,* etc.) au vu de critères clairs, distincts et de validité objective, mais variables d'un cas à l'autre. Les critères qui permettent de préférer la règle de l'unanimité à celle de la majorité dans telle circonstance ne sont pas les mêmes que ceux qui justifient la préférence inverse dans d'autres circonstances.

Ce processus de *rationalisation diffuse,* qui est à l'origine des irréversibilités qu'on observe dans l'histoire de la science, du droit ou dcs institutions politiques, est également à l'œuvre, nous dit Max Weber, dans l'histoire des *religions* ou de la *morale* au sens étroit.

On peut en dire un mot, puisque les données d'Inglehart concernent aussi ces deux sujets. La *religion* propose des interprétations du monde, nous dit Weber, d'où sont tirés des principes de comportement et des guides d'action supposés utiles au bonheur de l'individu. L'invention d'un Dieu unique a pris, notamment parce qu'elle permettait d'expliquer d'un coup toutes sortes de choses et était plus satisfaisante que les visions polythéistes (Bellah, 1970). Le calvinisme a pris, notamment parce qu'il souligna et mit en forme une idée, latente dans l'Ancien Testament *(Le livre de Job)*, celle du *Deus absconditus,* qui permet de concilier l'idée de la bonté et de la toute-puissance de Dieu avec l'existence du mal. En admettant que les décrets de Dieu sont impénétrables, à défaut de proposer une explication du mal, on évacue en effet la contradiction entre ces attributs de Dieu et l'existence du mal. L'on contourne ainsi les difficultés du manichéisme, cette autre « solution » au problème de la théodicée, qui fut si influente dans la Rome de la fin du IVe siècle, comme en témoignent les *Confessions* de saint Augustin. L'éviction du manichéisme au profit de la solution du *Deus absconditus,* le fait que les dieux qui n'ont pas rendu les services qu'on attendait d'eux aient disparu, que seules les prophéties confirmées soient incorporées dans les croyances officielles sont des exemples pris parmi beaucoup d'autres de ces processus de « rationalisation diffuse » qu'évoque Weber (1922, 1988 [1920-1921]) et qu'il voit à l'œuvre dans tous les domaines de la pensée, dans la pensée juridique, philosophique et religieuse tout autant que dans la pensée scientifique (Boudon, 2001 *c*).

En même temps, ces processus de rationalisation diffuse produisent des effets en cascade, souvent imprévisibles. Ainsi, le calvinisme a fait le lit du capitalisme, comme l'a expliqué le même Weber dans des pages célèbres.

Durkheim décèle lui aussi dans l'histoire religieuse la « rationalisation diffuse » et les « effets non voulus » dont parle Weber : « La religion chrétienne est la plus idéaliste qui ait jamais existé » (...) « elle est faite d'articles de foi très généraux beaucoup plus que de croyances particulières » (...) « voilà comment il se fait que l'éveil de la libre pensée au sein du christianisme a été relativement précoce » (...) « à peine les sociétés chrétiennes commencent-elles à s'organiser au Moyen Âge qu'apparaît la scolastique, premier effort méthodique de la libre réflexion » (...) « les droits de la discussion sont reconnus en principe » (Durkheim, 1960 [1893]), p. 137). « Parce qu'elle devient plus rationnelle, la conscience collective devient moins impérative » (*ibid.*, p. 276). Ces processus qu'il ne qualifie pas mais qu'on peut à bon droit qualifier de processus de rationalisation conduisent à une « diminution du contrôle social » (*ibid.*, p. 285).

Comme on le voit, l'idée selon laquelle le christianisme est la religion de la « sortie de la religion » est clairement énoncée par Durkheim avant d'être approfondie par d'autres (Gauchet, 1985).

On observe ces processus de rationalisation à l'œuvre dans les données que j'ai analysées : on y discerne une tendance à dépouiller la *morale* de tout tabou, à la réduire à son noyau : le respect d'autrui ; à dépouiller la *religion* de celles de ses notions qui sont les plus difficiles à interpréter de façon symbolique, de celles qui ne se prêtent guère à une interprétation immanentiste ; à vouloir mettre davantage la *politique* au service du citoyen ; à approfondir les institutions démocratiques de façon à ce que le pouvoir respecte mieux le citoyen ; à écarter les idéologies simplistes, etc.

C'est ce même processus de *rationalisation diffuse* qu'on trouve à l'œuvre, plus généralement, dans toutes sortes de tendances qu'on peut facilement observer dans les sociétés modernes.

Ainsi, la « diminution du contrôle social » dont parle Durkheim est un objectif permanent de la politique criminelle : un délit doit être puni, mais de manière qui respecte au mieux la dignité de la personne. La sensibilité morale contemporaine est si attentive à tout ce qui peut apparaître comme une négation de la dignité de la personne qu'elle a accueilli avec faveur l'idée que la prévention peut se substituer à la répression des crimes et des délits. L'utopie du tout-prévention a tellement prospéré qu'elle a relégué à l'arrière-plan l'idée de la dissuasion, la *menace* de répression étant vue comme aussi inacceptable que la répression elle-même.

On tend à une morale fondée sur le principe cardinal que tout ce qui ne nuit pas à autrui est permis ; qu'aucun comportement ne peut donc être condamné s'il ne peut être démontré qu'il nuit à autrui. On tend à donner le statut de *tabou* à tout interdit dont on ne voit pas en quoi le comportement qu'il condamne peut nuire à autrui (étant entendu qu'on ne peut admettre que choquer autrui dans ses opinions revienne à lui nuire, puisqu'on introduirait alors une contradiction avec le principe de la liberté d'opinion, lui-même corollaire de la dignité de la personne).

C'est ainsi qu'il faut interpréter par exemple le fait qu'une littérature graveleuse (Houellebecq, Catherine Millet) soit aujourd'hui promue en France au rang de l'événement littéraire. Son esprit de sérieux, son caractère idéologique, qui la distingue profondément de la tradition paillarde comme de la tradition érotique, révèle sa fonction latente : affirmer le droit pour l'individu de mener sa sexualité comme il l'entend, dès lors qu'il ne porte pas atteinte à autrui.

Un sondage de l'institut L. Harris *(Xénophobie : racisme et antiracisme en France : Baromètre 2000)* révèle bien l'intensité de la valeur du respect de l'autre : seule une très faible minorité de répondants se désigne en France comme racistes, alors qu'une très forte majorité voit le racisme comme une « chose répandue » : on est soi-même vertueux, mais obligé de constater que les autres le sont insuffisamment.

Ce même phénomène de rationalisation diffuse explique que les droits tendent à s'accroître. T. H. Marshall (1964) avait déjà repéré ce processus. Il continue, au point qu'on en arrive à reconnaître des droits dont l'application ne peut guère être exigée ni par suite confirmée juridiquement (comme le « droit au logement »), voire des droits dits *de troisième génération* (comme le « droit à la paix »), le « droit au droit », ou même le « droit à l'erreur » (Cohen, 1999). Ces bégaiements sont inévitables : la notion de la dignité de la personne *est* floue ; son contenu est donc par la force des choses instable ; les excès sont inévitables ; les incertitudes de la notion entraînent inévitablement l'apparition d'interprétations utopiques. Mais, en même temps, ces bégaiements sont soumis à un processus de sélection rationnelle. L'identification et l'analyse de cette dynamique constituent l'un des principaux apports des sciences sociales. Elles ont conféré à la conception kantienne de la *dignité de l'homme* un caractère préhistorique. Le formalisme de Kant lui interdisait de donner l'importance cruciale qui est la sienne à la question du *contenu* de cette notion.

L'extension inflationniste des droits à laquelle on assiste aujourd'hui est symptomatique de l'approfondissement du programme défini par la notion du respect de la personne, comme le sont mille autres traits caractéristiques des sociétés contemporaines : l'apparition du droit d'ingérence, ou celle d'un droit pénal international. Les épisodes de l'arrestation de Pinochet au Royaume-Uni ou de la comparution de Milosevic devant le Tribunal pénal international rentrent dans ce cadre explicatif : leur importance réside dans ce qu'ils sont perçus comme signalant l'existence de cas où le droit des personnes prime le principe de la souveraineté nationale. L'effort pour rechercher un contrôle social qui ait à la fois un effet dissuasif et répressif et qui en même temps respecte au mieux la dignité de la personne est un autre exemple témoignant de ces processus de rationalisation.

Les données d'Inglehart nous disent clairement, j'ai tenté de le montrer, que les processus identifiés par Durkheim et Weber continuent d'être observables aujourd'hui.

Resterait à évoquer une question : Durkheim estime que l'individualisme est de tout temps et par suite de toute « civilisation », pour utiliser un mot remis aujourd'hui à la mode par Huntington (1996), et que, si son développement est continu, il peut aller et va effectivement d'un pas inégal ici et là. Weber paraît faire du « désenchantement », de l'affirmation de la dignité de l'individu, de l'apparition de l'idée de citoyenneté des caractéristiques de la « civilisation » européenne. Weber et Durkheim sont en fait fort proches l'un de l'autre, au point d'être à mon sens indistincts sur cette question. La demande de respect pour la dignité et les intérêts de l'individu est universelle, même lorsqu'elle est contrariée par des « forces historiques ». Des contingences diverses ont fait que ce respect s'est traduit dans les institutions plus tôt en Europe que dans d'autres contextes. Mais l'on voit clairement cette demande de respect à l'œuvre aujourd'hui par exemple dans le cas de l'Iran : les tchadors des jeunes Iraniennes de la bonne bourgeoisie se font personnels et seyants ; une presse satirique émerge ; des blagues circulent. Certaines ridiculisent le pouvoir : ne jamais se trouver à côté d'un mollah dans une file d'attente à une station de taxis, car aucun taxi ne s'y arrête. D'autres manifestent, parfois sur le mode de l'humour noir, une préférence pour la « civilisation » occidentale : il est impossible que les attentats de New York aient été commis par des Iraniens, car ils auraient préféré obliger les avions à atterrir à Hawaii.

Mais il faut aussi noter que ces processus de rationalisation engendrent facilement des effets non voulus de caractère pervers et qu'ils donnent naissance à des thèses, à des déclarations et à des théories visant à les légitimer qui présentent souvent un caractère hyperbolique et sont elles-mêmes génératrices d'effets pervers. Ces hyperboles sont, des conséquences quasi nécessaires des incertitudes associées à la notion de dignité de la personne.

Effets pervers

D'innombrables exemples pourraient être mentionnés des effets pervers engendrés par ces processus de rationalisation et j'en ai déjà, en passant, évoqué quelques-uns : l'inflation des lois et des droits ; l'apparition de droits étranges, dont on ne voit pas bien comment, en contradiction avec la notion même de droit, ils pourraient être garantis par le système judiciaire ; le vote de lois si nombreuses qu'elles ridiculisent le principe essentiel selon lequel nul ne peut ignorer la loi et minent le respect de la loi de la part du citoyen ; la volonté de conduire l'ensemble d'une classe d'âge aux études les plus nobles, qui a orienté d'innombrables étudiants dans des impasses ; la volonté de privilégier la prévention sur la répression, qui a eu pour effet d'engendrer une augmentation des taux de criminalité et d'ignorer le « droit à la sécurité », comme on le voit particulièrement dans la France d'aujourd'hui. La volonté de lutter contre le « racisme », qui a contribué à accentuer les fractures entre « communautés ». Car il est évident que, en cherchant à approfondir certains droits, on peut en léser gravement d'autres.

L'affirmation du droit pour chacun de choisir et d'exprimer ses valeurs a produit – Tocqueville l'avait prédit – un déferlement de *vulgarité* ; elle a nivelé les valeurs artistiques. Les œuvres difficiles d'accès, supposant patience et préparation, sont placées sur le même plan que les œuvres faciles, à consommation instantanée. Les œuvres qui procurent avant tout plaisir sensuel et extase physique et dont l'effet est éventuellement accru par la consommation de drogues relèguent celles qui évoquent les grandes questions de la condition humaine. Chostakovitch et Messiaen sont peut-être les derniers compositeurs à avoir atteint le statut de *classiques*. Dans les grandes surfaces de vente de disques, la musique classique occupe une place proportionnellement de plus en plus réduite : elle y est consignée dans un espace ostensiblement différencié dont on ne sait s'il évoque le calme du tombeau ou l'altérité du ghetto. Ce nivellement des valeurs artistiques est légitimé par des théories indéfiniment déclinées qui tentent d'expliquer que l'art classique était un instrument de domination de la classe bourgeoise, puisqu'il supposait une préparation à laquelle avaient seuls accès les rejetons de la classe dominante : déformation hyperbolique de l'évidence selon laquelle on ne peut prendre intérêt à certaines œuvres qu'à la suite d'une préparation et d'une familiarisation plus ou moins longue.

Théories hyperboliques

Ces effets pervers, dont il serait possible d'allonger indéfiniment la liste sont en effet amplifiés par des théories qui tentent de les légitimer. Il ne s'agit pas de supposer les fabricants de ces théories cyniques ou intellectuellement malhonnêtes : ils se contentent le plus souvent de se laisser porter par les vents dominants.

Ainsi, les penseurs d'avant-garde ont voulu nous faire croire que le relativisme *(anything goes)* et le scepticisme représentaient les philosophies définitives de la postmodernité ; une idée insoutenable, mais qui exprime de façon hyperbolique la tendance au rejet de l'autorité non justifiée et des vérités toutes faites, et qui pour cette raison a trouvé un public.

Autre exemple : les théories relevant de *l'intellectualisme prolétaroïde* (pour utiliser l'expression de Max Weber) qui attribuent la misère du monde à un complot des puissants, présenté comme d'autant plus réel qu'il est plus insaisissable. Elles partent d'une évidence : l'existence d'inégalités profondes ; mais l'explication qu'elles en donnent est inacceptable. Pourtant, elles se placent facilement sur le marché des idées, d'une part, parce que leur simplisme a de grandes vertus mnémotechniques, d'autre part, et surtout, parce qu'elles apaisent le ressentiment et les inquiétudes de tout un public, et répondent ainsi à une demande latente. Ces deux traits expliquent que l'intellectualisme prolétaroïde apparaisse comme une sorte de constante historique. L'intellectualisme prolétaroïde nous a expliqué que les savoirs transmis par l'École n'avaient pas d'autre fonction que la reproduction de la classe dominante, que la musique ou la peinture classique tiraient leur prétendue mais illégitime supériorité sur le rap ou le tag de ce que la seule bourgeoisie y avait accès.

En France, les ministres de la Culture et de l'Éducation ont, au grand dam des citoyens français, cru à ces vaticinations hyperboliques (Fumaroli, 1992). Pour éviter que l'école ne contribue à la reproduction des inégalités, il fallait donner aux élèves l'impression qu'elle était un « lieu de vie » et non un lieu d'« imposition du savoir » ou d'« inculcation des valeurs ». L'effet le plus visible de cette politique fut que, ne voyant plus clairement la fonction de l'école, l'enfant puis l'adolescent perçurent l'obligation scolaire comme une contrainte injustifiée : alors apparut la violence scolaire. On la cacha pendant dix ans. Quand on ne put plus la cacher, il était trop tard pour la combattre facilement. Bauer et Raufer (1998) ont montré que l'intensité et les formes particulières de la violence urbaine française (incendies volontaires de voitures, chapardage avec violence, viols, agressions contre les personnes, etc., en augmentation rapide) étaient dues moins à l'incapacité grandissante des instances de socialisation qu'à une politique de lutte contre la délinquance des mineurs que certains de ses producteurs mêmes qualifient aujourd'hui d'*angéliste* : elle ouvre à ladite délinquance des opportunités qu'ils peuvent saisir sans risque.

La demande de respect de la dignité de l'individu est si forte, comme l'a vu Tocqueville, qu'elle inspire des politiques perçues comme « généreuses » et « modernes » sur le court terme, mais qui, en raison des effets pervers qu'elles engendrent, seront rétrospectivement plutôt perçues comme « démagogiques ». Lorsque l'empilement de ces politiques multiplie les effets négatifs, comme la violence urbaine ou la violence scolaire, il en résulte une désaffection du citoyen pour le monde politique et un relâchement de son sentiment de fierté nationale : selon l'étude d'Inglehart, seule une faible minorité de Français (35 %) se sentent fiers d'être Français. La fierté nationale est sensiblement plus forte en Italie (41 %), en Angleterre (54 %), au Canada (61 %) ou aux États-Unis (76 %). Ces différences s'expliquent peut-être en partie parce la *centralisation* française crée un environnement plus propice à l'expression et à la satisfaction de demandes égalitaires génératrices d'effets pervers. La fierté nationale est encore plus faible en Allemagne (20 %) qu'en France, mais ici ce sont sans doute plutôt des considérations historiques qui dissuadent les Allemands d'exprimer un sentiment de fierté nationale.

Autres exemples, plus pittoresques encore, de ces hyperboles ayant pour effet de légitimer des demandes collectives : certaines féministes ont cherché à « démontrer » dans des livres savants (Antony, Witt, 1993) que la logique d'Aristote est de caractère phallocratique : les femmes étant, selon ces auteurs, moins douées pour la réflexion abstraite, affirmer l'importance de la logique, comme le fit la tradition aristotélicienne, c'était contribuer à renforcer le pouvoir de l'homme sur la femme. De telles thèses visaient à venir au secours de l'égalité des femmes : ce qui n'implique pas que les auteurs n'aient pas sincèrement cru à leur véracité.

De même, on a prétendu que tous les pharaons, et pas seulement les pharaons d'origine nubienne, étaient noirs ; si l'on ajoute que la civilisation occidentale est née de la Grèce et que la Grèce a tout emprunté à l'Égypte, on en conclut que l'Afrique noire est le berceau de l'Occident (Bernal, 1987-1991).

Autre exemple. Il semble bien que la plupart des opposants à la « mondialisation », loin d'être des révolutionnaires, veulent surtout un ordre mondial plus transparent, plus conforme aux principes démocratiques. Mais certains intellocrates et agitateurs politiques répondent à cette demande (et l'exploitent pour leur compte) par une offre hyperbolique conforme à la tradition idéologique du « grand refus » : ils stigmatisent la « mondialisation », la « globalisation », le « libéralisme » avec des accents qui rappellent les envolées contre le « capitalisme » des marxistes de la grande époque. Demain, on nous expliquera sans doute dans de gros livres savants que la globalisation résulte d'un complot des puissants, ou que le capitalisme est en train d'imaginer de nouvelles formes de camouflage pour mieux embrigader les esprits.

Or certains prennent ces hyperboles au premier degré.

D'autres, plus faussement naïfs, appliquent de manière caricaturale le principe de base de la morale moderne selon lequel tout ce qui ne nuit pas à autrui est autorisé.

Ainsi, le *plagiat,* non seulement ne nuit pas au plagié, mais peut au contraire lui faire de la publicité gratuite. C'est un délit qui a la curieuse propriété de favoriser sa victime plutôt que de lui nuire. On peut donc plagier en toute tranquillité, en concluent certains puisque le seul principe moral est de ne pas faire ce qui nuit à autrui ; or le plagiat ne nuit pas à autrui. C'est par conséquent sous l'effet d'un tabou qu'on continue de le traiter comme un délit : le condamner c'est faire preuve d'intolérance. C'est pour cette raison que le plagiat paraît devenir un phénomène normal. Là où, hier, le plagiaire était l'objet d'un rejet, aujourd'hui, il continue brillamment sa carrière. Naguère, la ministre de la Culture espagnole n'a vu aucun inconvénient à confirmer la nomination à la tête de la bibliothèque nationale de Madrid d'un plagiaire qui s'était servi chez les historiens britanniques Gilbert Murray et Arnold Toynbee ; le nouveau directeur de la prestigieuse institution madrilène s'est brillamment défendu en déclarant qu'il n'avait nullement donné dans le plagiat, mais simplement pratiqué l' « intertextualité »[1].

Ces hyperboles et ces effets pervers donnent facilement naissance au sentiment que les sociétés modernes sont déboussolées ; qu'elles ont liquidé toute valeur ; que n'importe quelle thèse peut y être défendue ; que règne l'adage du « tout est bon », du *anything goes* ; qu'il n'y a plus de vérité, que la seule règle pour celui qui prétend décrire le réel est de plaire et de toucher ; que les sociétés postmodernes ou postindustrielles témoignent d'une rupture avec les sociétés modernes ou industrielles (U. Beck, A. Giddens, B. Wilson, etc.) ; ou, dans le registre des expressions populaires, qu'*il n'y plus de morale*, qu'*il n'y a plus de valeurs*.

En fait, le sociologue repère, derrière les phénomènes que je viens d'évoquer et qui donnent facilement le sentiment de l'irrationalité, les processus de rationalisation identifiés par la sociologie classique. Mais, a justement affirmé Simmel, le présent est nécessairement plus difficilement intelligible que le passé : les nouvelles idées sont en effet souvent proposées sous une forme hyperbolique ; elles engendrent des effets pervers ; leur solidité ou leur fragilité n'est pas immédiatement décelable, car le processus de sélection des idées s'effectue selon un rythme lent ; il emprunte des voies sinueuses ; il se déploie dans une atmosphère de conflit, donnant l'impression que les idées en concurrence sont des *opinions* équivalentes. Le présent donne donc

1. *Die Zeit*, 5 juillet 2001.

nécessairement le sentiment de la confusion et de la rupture avec le passé, même là où il y a plutôt rationalisation et continuité.

Cette confusion engendre normalement une demande de « grilles de lecture », laquelle explique l'accueil favorable souvent fait aux lectures simplistes proposées par des intellectuels-prêcheurs. Mais il semble bien, c'est une conjecture optimiste que j'ai cru pouvoir énoncer à partir des données que j'ai analysées ici, que les progrès de l'éducation notamment ont eu pour effet d'accroître le sens de la complexité dans l'esprit du public.

On remarque d'ailleurs que le phénomène des intellectuels charismatiques, ceux qu'on a qualifiés d'intellocrates, semble en voie de résorption. Ceux d'aujourd'hui sont perçus comme des caricatures de ceux d'hier et apparaissent comme une sorte de survivance. Leur effectif est déclinant. Le phénomène est désormais absent de nombreux pays. Au XXe siècle, il a connu son apogée dans les années de la guerre froide, propices aux théories de caractère manichéen, et s'est manifesté avec une vigueur particulière en France, où, depuis la deuxième moitié du XVIIIe siècle, les intellectuels ont fait une concurrence sérieuse aux autres sources d'autorité, pour des raisons fort bien expliquées par Tocqueville (1986 [1857]) : le discrédit dans lequel étaient alors tombées les sources traditionnelles de l'autorité, qu'il s'agisse du pouvoir politique ou des autorités religieuses, créait un appel d'air, dans lequel s'engouffrèrent les *philosophes*. Cet appel d'air est resté en France plus actif qu'ailleurs : la

France étant demeurée au XXe siècle, en raison de sa tradition centralisatrice, la moins démocratique des démocraties occidentales, les intellectuels charismatiques continuèrent d'apparaître aux yeux de divers publics comme une source d'autorité morale plus crédible que les élites politiques, religieuses, syndicales ou scientifiques. Combinées à la conjoncture manichéenne de la guerre froide, ces données structurelles favorisèrent le règne d'un Sartre. Aujourd'hui, l'autorité des intellectuels *engagés* comme celle de toutes les sources d'autorité est davantage exposée à l'esprit critique du public. Ils amusent et intriguent plus qu'ils n'influencent. C'est qu'on n'accepte plus aussi facilement les explications simplistes des phénomènes sociaux.

Finalement, on n'observe pas le déclin tant annoncé de la morale et des valeurs. Mais l'empressement des médias et des politiques à aller dans le sens de l'histoire les a souvent amenés à suivre trop littéralement les visions hyperboliques proposées par certains intellectuels et à induire de puissants effets pervers : l'anomie scolaire, la violence urbaine notamment, mais aussi l'égocentrisme des corps intermédiaires et de la classe politique, effets que l'opinion publique condamne, moins en raison des gênes qu'ils occasionnent que parce qu'ils violent les valeurs fondamentales sur lesquelles repose la paix sociale et que l'opinion voudrait voir approfondies plutôt que lésées.

Raymond Boudon,
Tourgéville, septembre 2001.

Références

Antony L. M., Witt C. (éd.) (1993), *A Mind of One's Own : Feminist Essays on Reason and Objectivity,* Boulder, Westview Press.

Baechler J. (1971), *Les origines du capitalisme,* Paris, Gallimard.

Bauer A., Raufer X. (1998), *La violence urbaine,* Paris, PUF.

Beck U. (1993), Nicht Autonomie, sondern Bastelbiographie, *Zeitschrift für Soziologie,* 22, 3, juin, 178-187.

Bellah R. (1970), Religious Evolution, *in* S. Eisenstadt (éd.), *Readings in Social Evolution and Development,* Londres, Pergamon, 211-244.

Berger P. (1991), *Auf den Spuren der Engel,* Fribourg/Br., Herder.

Berlin I. (1979), *Four essays on liberty,* New York, Oxford University Press, trad. franç. *Eloge de la liberté,* Paris, Calmann-levy, 1988.

Bernal M. (1987-1991), *Black Athena : the Afroasian Roots of Classical Civilization,* New Brunswick, trad. franç. *Black Athena : les racines afro-asiatiques de la civilisation classique,* Paris, PUF, 1996.

Boudon R. (1998), *Le sens des valeurs,* Paris, PUF, « Quadrige ».

— (2000), *Études sur les sociologues classiques,* II, Paris, PUF, « Quadrige ».

— (2001*a*), *The Origin of Values,* New Brunswick (États-Unis) / Londres, Transaction.

Boudon R. (2001 *b*), Du bon usage des sondages d'opinion en politique, *Commentaire*, n° 93, printemps 2001, 53-67.
Boudon R. (2001 *c*), La rationalité du religieux selon Max Weber, *L'Année sociologique*, 51, 1, 9-50.
— (2002), *Raison, bonnes raisons*, Paris, PUF.
Bréchon P. (2000 *a*), L'évolution du religieux, *Futuribles*, 260, janvier, 39-48.
— (éd.) (2000 *b*), *Les valeurs des Français ; évolution de 1980 à 2000*, Paris, A. Colin.
Busino G. (1996), Un regard sociologique sur la crise du droit, *Revue européenne des sciences sociales*, t. 34, n° 104, 215-220.
Cohen D. (1999), Le droit à..., *Mélanges offerts à F. Terré*, Dalloz, PUF, et éd. de Juris-classeur, 393-400.
Durkheim E. (1979 [1912]), *Les formes élémentaires de la vie religieuse*, Paris, PUF.
— (1960 [1893]), *De la division du travail social*, Paris, PUF.
Forsé M. (1999), Libéralisme et interventionnisme : analyse comparée des opinions sur le rôle économique de l'État et du gouvernement dans six pays, *Revue de l'OFCE*, 68, janvier, 219-240.
Fumaroli M. (1992), *L'État culturel*, Paris, de Fallois.
Galland O., Roudet B. (éd.) (2001), *Les valeurs des jeunes*, Paris, L'Harmattan.
Gauchet M. (1985), *Le désenchantement du monde*, Paris, Gallimard.
Giddens A. (1999), *Runaway World*, Londres, Profile Books.
Hervieu-Léger D. (1993), *La religion pour mémoire*, Paris, Cerf.
— (2001), *La religion en miettes et la question des sectes*, Paris, Calmann-Lévy.
Hume D. (1972 [1741]), *Essais politiques*, Vrin, Paris, trad. de *Essays Moral and Political*, Londres, printed for A. Millar, 3e ed., 1748.

Huntington S. (1996), *The Clash of Civilizations and the Remaking of the World Order,* New York, Shuster & Shuster, trad. franç., *Le choc des civilisations,* O. Jacob, 1997.

Ianaccone L. (1991), The Consequences of Religious Market Structure : Adam Smith and the Economics of Religion, *Rationality and Society,* 3, 2, avril, 156-177.

Inglehart R., Basanez M., Moreno A. (1998), *Human Values and Beliefs : A Cross-Cultural Sourcebook,* Ann Arbor, The University of Michigan Press.

Keniston K. (1968), *Young Radicals,* New York, Harcourt, Brace and World.

Lambert Y. (2002), Religion : l'Europe à un tournant *in* P. Bréchon, J.-F. Tchernia (éd.), *L'Europe des valeurs, évolutions récentes,* Paris, PUF, à paraître.

Leca J. (2001), *Pour(quoi) la philosophie politique,* Paris, Presses de Sciences Po.

Luckmann T. (1991), *Die unsichtbare Religion,* Frankfurt, Suhrkamp.

Lüthy H. (1970), Réforme et Contre-Réforme, *in* Ph. Besnard, *Protestantisme et capitalisme. La controverse post-wébérienne,* Paris, A. Colin, 373-408.

Marshall T. H. (1964), *Class, Citizenship and Social Development,* Garden City, New York, Doubleday.

Mendras H. (1999), Homogénéisation ou diversification des systèmes de valeurs en Europe occidentale, *Revue de l'OFCE,* 71, octobre, 298-310.

Popkin S. (1979), *The Rational Peasant. The Political Economy of Rural Society in Vietnam,* Berkeley, University of California Press.

Riffault H. (éd.) (1994), *Les valeurs des Français,* Paris, PUF.

Root H. L. (1994), *The Fountain of Privilege : Political Foundations of Economic Markets in Old Regime France and England,* Berkeley : University of California Press, trad. franç., *La construction de l'État moderne en Europe,* Paris, PUF, 1994.

Simmel G. (1984 [1892]), *Les problèmes de la philosophie de l'histoire,* Paris, PUF, trad. de *Die Probleme der Geschichtsphilosophie,* München, Duncker & Humblot, 1892.

— (1987 [1900]), *Philosophie de l'argent,* Paris, PUF, trad. de *Philosophie des Geldes,* Leipzig, Duncker & Humblot, 1900.

Sirinelli J.-F. (1990), *Intellectuels et passions françaises : manifestes et pétitions au XXe siècle,* Paris, Fayard.

Stoetzel J. (1983), *Les valeurs du temps présent,* Paris, PUF.

Tocqueville A. de (1986 [1845]), *De la démocratie en Amérique,* II, in *Tocqueville,* Paris, Laffont, « Bouquins ».

Tocqueville A. de (1986 [1857]), *L'Ancien Régime et la Révolution,* in *Tocqueville,* Paris, Laffont, « Bouquins ».

Weber M. (1922), *Wirtschaft und Gesellschaft : Grundriss der Sozialökonomik,* Tübingen, Mohr, trad. franç. partielle, *Économie et société,* Paris, Plon, 1971.

— (1988 [1920-1921]), *Gesammelte Aufsätze zur Religionssoziologie,* Tübingen, Mohr.

Wilson B. (1985), Morality in the evolution of the modern social system, *The British Journal of Sociology,* 36, 3, septembre, 315-332.

Wilson J. (1993), *The Moral Sense,* New York, Macmillan/The Free Press.

Imprimé en France
par Vendôme Impressions
Groupe Landais
73, avenue Ronsard, 41100 Vendôme
Février 2003 — N° 50 013

PRETS EN COURS EN DATE DU 2013-05-[illegible]
pour : Gravel François

Dialogues de sourds : l'égalité de traite...
Échéance: 2013-05-09 GBQ
Le crime était presque sexuel et autres
Échéance: 2013-05-19 GBQ
Expliquer l'antisémitisme : le bouc é...
Échéance: 2013-05-1[illegible] GBQ
Déclin de la morale? Déclin des valeu...
Échéance: 2013-05-26 GBQ
Anti-Américanism / Jean François Reve...
Échéance: 2013-05-26 GBQ

Nombre de documents: 5

A R.C.L. 2005